Palavras para desatar nós

RUBEM
ALVES

PALAVRAS
PARA
DESATAR
NÓS

PAPIRUS EDITORA

Foto de capa	Rennato Testa
Coordenação	Beatriz Marchesini
Copidesque	Lúcia Helena Lahoz Morelli
Diagramação	DPG Editora
Revisão	Ana Carolina Freitas, Isabel Petronilha Costa e Julio Cesar Camillo Dias Filho

Dados Internacionais de Catalogação na Publicação (CIP)
(Câmara Brasileira do Livro, SP, Brasil)

Alves, Rubem
  Palavras para desatar nós/Rubem Alves – Campinas, SP: Papirus, 2011.

ISBN 978-85-308-0941-6

1. Crônicas brasileiras I. Título.

11-11121   CDD-869.93

Índice para catálogo sistemático:

1. Crônicas: Literatura brasileira 869.93

As crônicas que compõem esta obra foram publicadas no jornal *Correio Popular*. Algumas delas encontram-se também em outras obras do autor.

1ª Edição – 2011
14ª Reimpressão – 2025

Exceto no caso de citações, a grafia deste livro está atualizada segundo o Acordo Ortográfico da Língua Portuguesa adotado no Brasil a partir de 2009.

Proibida a reprodução total ou parcial da obra de acordo com a lei 9.610/98.
Editora afiliada à Associação Brasileira dos Direitos Reprográficos (ABDR).

DIREITOS RESERVADOS PARA A LÍNGUA PORTUGUESA:
© M.R. Cornacchia Editora Ltda. – Papirus Editora
R. Barata Ribeiro, 79, sala 316 – CEP 13023-030 – Vila Itapura
Fone: (19) 3790-1300 – Campinas – São Paulo – Brasil
E-mail: editora@papirus.com.br – www.papirus.com.br

*Filosofia é uma batalha contra o feitiço da
nossa inteligência por meio da linguagem.*
Ludwig Wittgenstein

A poesia (...) uma irmã tão incompreensível da magia...
Guimarães Rosa

*A poesia é metamorfose, transformação, operação alquímica,
e por essa razão ela vive muito próxima da magia e da religião.*
Octavio Paz

Palavras e magia foram, no princípio, a mesma coisa.
Sigmund Freud

*O terapeuta é o verdadeiro sucessor do exorcista. Sua
missão não é perdoar pecados mas expulsar demônios.*
Ronald Fairbairn

Sumário

Apresentação 9
O feitiço de Áquila 13
A arte de engolir sapos 18
As lâmpadas e a inteligência 22
Saúde mental 24
Um único momento 28
Tranquilize-se... 32
As ideias loucas 37
O caos e a beleza 40
Sobre deuses e rezas 43
A alegria da música 47
Sucesso 53
As coisas essenciais 54
A arte de viajar 58
Da tragédia e da beleza 62
Variação sobre um tema antigo 63
A ternura 67
Sobre o otimismo e a esperança 70
O benefício da dúvida 74

Fazer nada.	75
Depressão	79
O múltiplo e o simples	84
A árvore inútil	85
Sobre a ciência e a *sapientia*	88
Tristeza-beleza.	93
Diário	97
Sobre a morte e o morrer	99
A amizade	103
"Você e o seu retrato"	106
A solidão amiga	110
Oração	116
Sugestão	120
Dor de ideia? Tome filosofia uma vez por dia	121
Sobre príncipes e sapos	125
A cegueira	130
É melhor não comparecer ao encontro...	135
Oblíquo	139
Dropes: Autores	139
Meu tipo inesquecível	140
Sobre simplicidade e sabedoria	144
Sobre a inveja	148
Tenho medo.	152
Quem sou?	156
Fala.	161
Deus existe?	162
A maquineta de roubar pitangas	166
E o centro, onde fica?.	170
Poça de água suja	174

APRESENTAÇÃO

Sou psicanalista. Um psicanalista é uma pessoa que tenta ajudar as pessoas a se transformarem pelo uso da palavra. A palavra tem poderes mágicos. Bem dizem os textos sagrados que no princípio de todas as coisas está a palavra. A palavra faz milagres. "O bem-estar do homem depende do descobrimento do soro contra a varíola e as picadas de cobra, mas também depende de que ele devolva à palavra seu sentido original. Meditando sobre a palavra, ele se descobre a si mesmo" (Guimarães Rosa, em entrevista a G. Lorenz. *Diálogo com a América Latina*. São Paulo: EPU, 1973).

As pessoas que me procuraram nos anos em que exerci a psicanálise eram todas diferentes e tinham queixas diferentes. Mas debaixo das múltiplas pequenas queixas havia uma única grande queixa: queriam ter alegria. Essa é a busca comum de tudo o que vive. Acho que até as plantas querem ser felizes. Os ipês, quando florescem, não estarão experimentando uma alegria que só eles entendem? O apóstolo Paulo escreveu que toda a criação geme em dores de parto na esperança de parar de sentir dor. Toda a criação reza pedindo a mesma coisa: alegria. Acho que foi por isso que Beethoven, no fim da vida, já completamente surdo, fez orquestra e coral cantarem a "Ode à alegria".

Alegria, formosa centelha divina,
Todos os homens se irmanam
Ali onde teu doce voo se detém.
Alegria bebem todos os seres
No seio da Natureza:
Todos os bons, todos os maus,
Seguem seu rastro de rosas.
Ela nos deu beijos e vinho e
Um amigo leal até a morte;
Deu força para a vida aos mais humildes
E ao querubim que se ergue diante de Deus!

A *Nona sinfonia* faz o universo inteiro orar a mesma súplica.

Um dos livros de autoajuda mais famosos é *O poder do pensamento positivo*, de Norman Vincent Peale. Esse título, que afirma que pensamento é poder, promete muito, mas pode nos enganar, fazendo-nos crer que, se pensarmos com força, os nossos pensamentos se realizarão. Mas isso não é verdade. Querer não é poder.

Dizem alguns que não devemos abandonar nossos sonhos. Mas nem todo sonho é bom. Os loucos sonham, os criminosos sonham, os corruptos sonham. Há sonhos que são ilusões e nos levam por caminhos errados e se transformam em pesadelos. Se eu tivesse teimado com o sonho de pianista da minha juventude, estaria condenado à mediocridade e à tristeza porque querer não é poder. Continuaria a ser lagarta rastejante quando poderia ser borboleta voante.

Livros e palavras têm poder. Podem ajudar. Mas não se deixe enganar pelo seu aspecto inocente. O livro *Minha luta* (*Mein Kampf*) era o sonho de um louco, Adolf Hitler, que hipnotizou um país com as suas palavras e produziu milhões de mortos. Hitler nunca desistiu do seu sonho. Foi com ele até o fim. Dentro dos livros podem morar as mais estranhas criaturas. Eles podem estar cheios de mentiras sorridentes.

Sei que você sabe ler, juntar as letras. Mas não sei qual é o seu *jeito* de ler. Livro é como aqueles remédios antigos que tinham escrito "Modo de usar", na bula. Se não for usado da maneira certa não funciona, chegando mesmo a agravar a doença. O poder das palavras não está nelas mesmas. Está no jeito como as lemos. Tarefa difícil, que devemos aprender. É preciso ler com todo o corpo, não só com olhos e intelecto. Um mesmo livro pode ser lido como o barulho de uma serra ou como o som de uma canção. Como disse o filósofo dinamarquês Kierkegaard, o poder mágico das palavras não se encontra no que elas dizem, mas no "como" são ditas.

* * *

Aprendi de Santo Agostinho que o nosso corpo carrega duas caixas.

Na mão direita, ele carrega uma caixa de ferramentas. Ferramenta é qualquer objeto que sirva para fazer alguma coisa: um martelo, um lápis, uma agulha, um fósforo, uma panela, uma fórmula de remédio, uma receita de cozinha. Todas as ferramentas são invenções da inteligência. Tudo o que se encontra na caixa de ferramentas é "útil", meio para se viver. As ferramentas nos dão poder. Os membros do nosso corpo, pernas, braços, mãos, olhos, coração, são todos ferramentas.

Na mão esquerda, o corpo carrega uma caixa de brinquedos. Brinquedos são coisas inúteis; não nos dão poder. Eles nos dão alegria: dançar, cantar, jogar futebol, contar piadas, tocar flauta, ler um poema...

Se sua caixa de ferramentas estiver cheia, mas a caixa de brinquedos estiver vazia, você será muito forte mas não terá alegria.

A arte de viver exige que carreguemos as duas caixas: a que nos dá *meios para viver* e a que nos dá *razões para viver*.

Neste livro você encontrará textos da caixa de ferramentas, que nos fazem pensar, e textos da caixa de brinquedos, que nos trazem alegria.

Textos de fazer pensar são alimento para a inteligência. É preciso lê-los como quem come: devagar, ruminando, para que a inteligência tenha tempo de mastigá-los e digeri-los. Quando isso ocorre, acontece com eles o que acontece com a comida: a comida é assimilada, passa a fazer parte do nosso corpo. Se a comida não for assimilada, ela é vomitada. O texto também. Esquecer é o jeito que o corpo tem de vomitar...

Textos de fazer sentir são alimento para a alma. Eles trazem alegria! E quando a gente sente alegria está experimentando aquilo para que fomos criados.

O FEITIÇO DE ÁQUILA

O nome é *O feitiço de Áquila*. Faz muito tempo que o vi. Mas não me esqueci.

Ele, guerreiro, cavalgava um cavalo negro. Seus olhos eram tranquilos, seu rosto era triste, seus cabelos eram dourados como a luz do Sol, e a sua voz só se ouvia depois de longos silêncios.

Ela era diáfana como a Lua, seus cabelos eram negros como a noite, e a sua voz era mansa como a luz das estrelas.

Eles muito se amavam. Seu amor era belo.

Vivia naquela terra um feiticeiro que manipulava os poderes do mal. Ele a viu e se apaixonou por ela. Quis tê-la para si mesmo. Mas ela amava o guerreiro e se escondeu dos olhos do feiticeiro. Este, enfurecido, lançou sobre os amantes um feitiço: estariam condenados, pelo resto dos seus dias, a nunca se tocarem. A mulher seria como a Lua. Só apareceria à noite, depois do pôr do Sol. Durante o dia ela seria um falcão caçador, com bico e garras de rapina. O guerreiro seria como o Sol. Só apareceria durante o dia, depois do nascer do Sol. Durante a noite ele seria um lobo negro caçador.

E assim aconteceu. Durante o dia o guerreiro cavalgava o seu cavalo negro levando no ombro sua amada, em forma de falcão. Vez por outra o falcão alçava voo, subia até as alturas, e de repente, com um pio estridente, mergulhava como uma flecha para pegar alguma presa. Durante a noite a mulher ficava ao lado do seu amado, lobo negro, que se deitava aos seus pés e lambia suas mãos. Vez por outra ele se levantava e entrava sozinho na floresta escura, para viver a sua vida de lobo.

Mas havia um breve momento encantado quando eles quase se tocavam. Ao pôr do Sol, quando a luz do dia se misturava com o escuro da noite, era o momento mágico: o falcão voltava a ser mulher e o guerreiro se transformava em lobo. Ao nascer do Sol, quando o escuro da noite se misturava com a luz do dia, o lobo voltava a ser o guerreiro e a mulher se transformava em falcão. Nesse brevíssimo momento os dois apareciam um ao outro como sempre tinham sido e eles viviam, então, por um segundo, a beleza do seu amor. Suas mãos se estendiam, uma querendo tocar a outra – mas o toque era impossível. Antes que as mãos se tocassem a metamorfose acontecia e as imagens fugiam.

O guerreiro amava o falcão. Ele sabia que dentro do falcão vivia sua amada de voz mansa. Mas vivia encantada, adormecida. Dela, o que ele tinha era apenas a ave muda, mergulhada no silêncio do seu mistério. Ele acariciava suas penas – mas um falcão não é uma mulher. O falcão não era sua amada. Ele a carregava na pequena esperança do momento encantado e na grande esperança de que, um dia, o feitiço fosse quebrado.

A mulher amava o lobo. Ela sabia que dentro do lobo vivia o guerreiro de olhos profundos que ela amava. Mas ele vivia encantado, adormecido. Dele ela só tinha os olhos mergulhados no silêncio do seu esquecimento. Ela acariciava o seu pelo negro – mas um lobo não é homem. O lobo não era o guerreiro que ela amava. Ela o acariciava na pequena esperança de que, um dia, o feitiço fosse quebrado.

O amor pode muito. Ele é divino. Pode mais que todos os feitiços. E aconteceu que, um dia, depois de uma luta horrenda, o feiticeiro foi morto e o feitiço foi quebrado. E o guerreiro voltou a ser o guerreiro que sempre fora, e a mulher voltou a ser a mulher que sempre fora. E as mãos puderam se tocar e tudo foi alegria e eles se casaram e viveram felizes para sempre...

O filme é lindo. Minha experiência mais funda, vendo *O feitiço de Áquila*, foi a de beleza. E a beleza tem um efeito embriagante. Quando a alma é tocada por ela, a cabeça não faz perguntas. Tudo é êxtase, encantamento. Mas, passado o êxtase da beleza – pois que ele não pode durar para sempre –, minha cabeça foi possuída pela curiosidade psicanalítica. E começou a perguntar: "Essa beleza, de que ferida nasceu?". Pois a beleza sempre nasce de feridas. As feridas a produzem para que a sua dor seja suportável.

Ela nasceu da dor do amor. Aquele que escreveu a estória sofria. Sofria porque o seu amor era igual àquele momento quando o Sol nascia e quando o Sol se punha: infinitamente belo, insuportavelmente efêmero. Efêmero porque logo a mulher amada se transformava em falcão. Efêmero porque logo o homem amado se transformava em lobo. Mas é precisamente isto que os apaixonados não suportam: o efêmero. A paixão só se contenta com o eterno.

As escolhas dos símbolos não são gratuitas. Na alma nada é gratuito. Tudo faz sentido. O autor poderia ter escolhido uma pomba, ave mansa, que se parecia com a mulher amada. Poderia ter escolhido um unicórnio branco, animal manso com um coração apaixonado. Mas não. Escolheu um falcão e um lobo, animais selvagens, ferozes, matadores. Que coisa mais estranha, que aquele momento efêmero de amor manso fosse logo destruído pelo selvagem que mata!

Ah! Isso não era possível! A vida não pode ser assim! Como explicar que o amor, tão forte, seja assim tão frágil? Como explicar a força do lobo e do falcão? Como explicar o poder da morte? (O amor está sempre em luta com a morte!) Esse é, talvez, o mistério maior da condição humana. Freud tentou decifrá-lo e fracassou. Como explicar a metamorfose das imagens? De repente o amante de cabelos dourados como o Sol se transforma no lobo negro como a noite. De repente a voz da amante, suave como a luz das estrelas, se transforma no pio do falcão, perfurante como a faca. Ah! Como explicar isto, que o tempo do amor seja tão curto e o tempo do selvagem seja tão longo? O amor tem de ser mais forte que a morte. O amor tem de ter um destino de felicidade permanente.

Um amor assim, tão belo e tão efêmero, é trágico. Mas o amor não suporta um final trágico. E aí entra em cena o escritor, que escreve para dar um final feliz à tragédia. Tudo só pode ser produto da feitiçaria. A feitiçaria entra na estória para salvar o amor, para dizer que o lobo e o falcão são intrusos, que eles não pertencem à estória, que eles foram ali colocados por um feiticeiro malvado, que eles terão de ir embora. Se não fosse o feitiço do bruxo os amantes estariam juntos para sempre! O amor – no seu momento belo e efêmero – vive da esperança "de tudo se arranjar". A estória tem de ter um final feliz. O amor quer chegar à paz.

A estória, assim, se divide em três partes. A primeira conta do momento belo do amor e da sua realidade efêmera, logo invadida pelo lobo e pelo falcão – selvagens. Essa parte da estória descreve a realidade. A segunda parte é uma explicação, uma hipótese para desvendar o mistério: que o selvagem invada o amor – isso é obra de feitiçaria. Na terceira parte se encontra a solução sonhada: ao final, será o amor sozinho, sem lobos e falcões, e o momento efêmero – infinito enquanto dura! – se transformará num abraço eterno. Esse final feliz é literário, palavras – mentiroso.

Na estória do amor não há um final feliz. O casamento não é a eternalização do amor. A paz nunca é atingida. O lobo e o falcão não são criações da feitiçaria. Todos somos amantes e lobos, amantes e falcões. Lobos e falcões jamais desaparecem. Eles são eternos. Eles moram dentro de nós.

Será possível, então, um triunfo do amor? Sim. Mas ele não se encontra ao final do caminho. Ele se encontra no meio do caminho: não na partida, não na chegada, mas na travessia. O amor triunfa quando ele é capaz de abraçar o lobo e o falcão. Quando o amor abraça o lobo e o falcão eles deixam de ser selvagens destruidores e passam a ser – se não amigos – pelo menos companheiros. Parafraseando Rilke: "Conter o selvagem, o selvagem inteiro, sem perder a doçura – isso é inefável!".

Mas pode ser que o amor se vá e que o momento efêmero não mais apareça quando o Sol nasce e quando o Sol se põe. Então o lobo se revela como fera e o falcão como ave de rapina...

Quando isso acontece é hora de dizer adeus...

A ARTE DE ENGOLIR SAPOS

O Adão, meu amigo, professor de biologia, já encantado, amava os sapos. Dedicou sua vida a estudá-los. Estudava e admirava. Era capaz de identificá-los não só por sua aparência física como também pelo seu canto. Creio que o Adão achava os sapos bonitos. E é certo que eles têm uma beleza que lhes é peculiar. O filósofo Ludwig Feuerbach diria que para os sapos não existe nada mais belo que o sapo e, se entre eles houvesse teólogos, haveriam de dizer que Deus é um sapo. Cada forma de vida é o Bem Supremo para si mesma.

Eu mesmo, sem ter a sensibilidade do Adão, escrevi um livro para crianças em que um dos heróis é o sapo Gregório. Mas desejo confessar que não acho os sapos bonitos. Bonita eu acho a sua cantoria durante a noite, a despeito da sua falta de imaginação e da sua monotonia. Mas o que ela perde em riqueza estética é plenamente compensado pelo seu poder hipnótico, o que é bom para fazer dormir.

Mas o fato é que nós, humanos, não consideramos os sapos como animais com que gostaríamos de conviver. Ter um cãozinho, um gato ou um coelho como bichinho de estimação, tudo bem. Mas se o menino quisesse ter um sapo como bichinho de estimação, os pais tratariam de levá-lo logo a um psicólogo para saber o que havia de errado com ele. Sapo é bicho de pesadelo.

Quem sugere isso são as Escrituras Sagradas. Está relatado, no capítulo oitavo do livro de Êxodo, que Deus, para dobrar a obstinação do faraó egípcio que não queria deixar que o povo de Israel se fosse, enviou-lhe uma série de pragas de horrores, uma delas sendo a dos sapos. Diz o texto que a praga era de rãs, mas não faz muita diferença.

> Eis que castigarei com rãs todos os teus territórios. O rio produzirá rãs em abundância, que subirão e entrarão em tua casa, e no teu quarto de dormir, e sobre o teu leito, e nas casas dos teus oficiais, e sobre o teu povo, e nos teus fornos, e nas tuas amassadeiras.

Já imaginaram o horror? A gente entra debaixo das cobertas e sente o frio das rãs que lá estão. Morde o pão e dentro dele está uma rã assada.

Nas estórias infantis é a mesma coisa. A bruxa poderia ter transformado o príncipe numa girafa, num tatu ou num gato. Escolheu transformá-lo no mais nojento, um sapo. E há aquela outra estória em que o sapo queria dormir na cama com a princesinha. Tão horrorizada ela ficou de ter de dormir com um sapo que, para evitar os beijos e seus desenvolvimentos inevitáveis, pegou-o pela perna e jogou-o contra a parede. Esse ato teve efeito mágico, pois, ao cair no chão, o sapo transformou-se em príncipe. Já aconselhei pessoas a lançar contra a parede seus sapos e sapas conjugais, para ver se o contrafeitiço funciona também para os humanos. Parece que não.

O horror do sapo aparece também numa sugestiva expressão popular: "ter de engolir sapo". Por que não "ter de engolir gato", "ter de engolir borboleta", "ter de engolir tico-tico"? Porque mais nojento que sapo não existe.

Essa expressão traz o sapo para o campo das atividades alimentares. Engolir é comer. O ato de comer é presidido pelo paladar. O paladar é uma função discriminatória. Ele separa o saboroso do não saboroso. O saboroso é para ser engolido com prazer. O não saboroso, o corpo se recusa a comer. Cospe. "Ter de engolir sapo": ser forçado a colocar dentro do corpo aquilo que é nojento, repulsivo, viscoso, frio, mole.

Não há forma de engolir sapo com prazer. Engolir um sapo é ser estuprado pela boca. Há um ditado inglês que diz: "If you are going to be raped, and there is nothing you can do about it, relax and enjoy it": se você vai ser estuprado e você não pode fazer nada para impedi-lo, relaxe e trate de gozar o mais que puder. Esse ditado sugere a possibilidade de sentir prazer em ser estuprado. Pode até ser. A psicanálise me ensinou a aceitar a possibilidade dos mais estranhos prazeres perversos. Mas não há relaxamento que faça do ato de engolir um sapo uma experiência prazerosa.

Por que engolir um sapo?

Há pessoas que engolem sapos por medo. Bem que seria possível evitar a repulsiva refeição: o sapo é um sapinho. Mas elas preferem engolir o sapo a enfrentá-lo. Não têm coragem de pegá-lo e jogá-lo contra a parede. Pessoas que fizeram do ato de engolir sapos um hábito acabam por ficar parecidas com eles: andam aos pulos, sempre rente ao chão e coaxam monotonamente.

Mas há situações em que é inevitável engolir o sapo. Eu mesmo já engoli muitos sapos e disso não me envergonho. O meu desejo, com esta crônica, é dar uma contribuição ao saber psicanalítico, que até agora fez silêncio sobre o assunto. Muitos dos sintomas neuróticos que afligem as pessoas resultam de sapos engolidos e não digeridos.

Tudo começa com um encontro: à minha frente um sapo enorme, ameaçador, com boca grande. A prudência me diz que é melhor engolir o sapo a ser engolido por ele. É melhor ter um sapo dentro do estômago (sapos engolidos nunca vão além do estômago) do que estar no estômago do sapo.

Aí, impotente e sem opções, deixo que ele entre na minha boca, aquela massa mole e nojenta. É muito ruim. O estômago protesta, ameaça vomitar. Explico-lhe as razões. Ele cessa os seus protestos, resignado ao inevitável. Não consigo mastigar o sapo. Seria muito pior. Engulo. Ele escorrega e cai no estômago.

Alimentos não digeríveis são eliminados pelo aparelho digestivo de duas formas: ou são expelidos pelo vômito ou são expelidos pela diarreia. Os sapos são uma exceção. Não são digeridos, mas não são expelidos nem pelas vias superiores nem pelas vias inferiores. Os sapos se alojam no estômago. Transformam-no em morada. Ficam lá dentro. Por vezes hibernam. Mas logo acordam e começam a mexer.

Ninguém engole sapo de livre vontade. Engole porque não tem outro jeito. Tem sempre alguém que nos obriga a engolir o sapo, à força. A pessoa que nos obriga a engolir o sapo, a gente nunca mais esquece. Diz a Adélia que "aquilo que a memória amou fica eterno". Aí eu acrescento algo que aprendi no *Grande sertão*. Conversa de jagunços matadores. Diz um: "Mato, mas nunca fico com raiva". Retruca o outro, espantado: "Mas como?". Explica o primeiro: "Quem fica com raiva leva o outro para a cama". É isso. A gente leva para a cama a pessoa que nos obrigou a engolir o sapo. A raiva também eterniza as pessoas. Não adianta falar em perdão. A gente fica esperando o dia em que ela também terá de engolir um sapo. Ou, como dizia uma propaganda antiga de loteria, a gente reza: "O seu dia chegará...".

※

AS LÂMPADAS E A INTELIGÊNCIA

Num dos meus momentos de vagabundagem, um pensamento me apareceu que fez uma ligação metafórica entre lâmpadas e inteligências que nunca me havia passado pela cabeça. Tratei, então, de seguir a trilha. As lâmpadas servem para iluminar. Para isso são dotadas de potências de iluminação diferentes. Há lâmpadas de 60 watts, de 100 watts, de 150 watts etc. Qual é a melhor lâmpada? Parece que as de 150 watts são as melhores porque iluminam mais. Também as inteligências servem para iluminar. Tanto assim que se diz "tive uma ideia luminosa!". E nos gibis, para dizer que um personagem teve uma boa ideia, o desenhista desenha uma lâmpada acesa sobre a sua cabeça. E também as inteligências, à semelhança das lâmpadas, têm potências diferentes. Os psicólogos inventaram testes para atribuir números às inteligências. A esses números deram o nome de QI, coeficiente de inteligência. Segundo as mensurações dos psicólogos, há QIs de 100, de 150, de 200... Ah! Uma pessoa com QI 200 deve ser maravilhosa! Porque, como todo mundo sabe, inteligência é coisa muito boa. Todo pai quer ter filho inteligente. Mas as lâmpadas não são objetos de contemplação. Não se fica olhando para elas. Olhamos para aquilo que elas iluminam. Uma lâmpada de 150 watts pode iluminar o rosto contorcido de um homem numa câmara de torturas. E uma lâmpada de 60 watts pode iluminar uma mãe dando de mamar ao filhinho. As lâmpadas valem pelas cenas que iluminam. As inteligências valem pelas cenas que iluminam. Há inteligências de QI 200 que só iluminam esgotos e cemitérios. E como ficam bem-iluminados os esgotos e os cemitérios! E há inteligências modestas, como se fossem nada mais que a chama de uma vela, que iluminam o rosto de crianças e jardins. A inteligência pode estar a serviço da morte ou da vida. A inteligência, pobrezinha, não tem o poder para decidir o que iluminar. Ela é mandada. Só lhe compete obedecer. As ordens vêm de outro lugar. Do coração. Se o coração tem gostos suínos, a inteligência iluminará chiqueiros, porcos e lavagem. Se o coração gosta de crianças e jardins, a inteligência iluminará crianças e jardins. Por isso é mais importante educar o coração que fazer musculação na inteligência. Eu prefiro as inteligências que iluminam a vida, por modestas que sejam.

✳

SAÚDE MENTAL

Fui convidado a fazer uma preleção sobre saúde mental. Os que me convidaram supuseram que eu, na qualidade de psicanalista, deveria ser um especialista no assunto. E eu também pensei. Tanto que aceitei. Mas foi só parar para pensar para me arrepender. Percebi que nada sabia. Eu me explico.

Comecei o meu pensamento fazendo uma lista das pessoas que, do meu ponto de vista, tiveram uma vida mental rica e excitante, pessoas cujos livros e obras são alimento para a minha alma. Nietzsche, Fernando Pessoa, Van Gogh, Wittgenstein, Cecília Meireles, Maiakovski. E logo me assustei. Nietzsche ficou louco. Fernando Pessoa era dado à bebida. Van Gogh matou-se. Wittgenstein alegrou-se ao saber que iria morrer em breve: não suportava mais viver com tanta angústia. Cecília Meireles sofria de uma suave depressão crônica. Maiakovski suicidou-se. Essas eram pessoas lúcidas e profundas que continuarão a ser pão para os vivos muito depois de nós termos sido completamente esquecidos.

Mas será que tinham saúde mental? Saúde mental, essa condição em que as ideias comportam-se bem, sempre iguais, previsíveis, sem surpresas, obedientes ao comando do dever, todas as coisas nos seus lugares, como soldados em ordem-unida, jamais permitindo que o corpo falte ao trabalho, ou que faça algo inesperado; nem é preciso dar uma volta ao mundo num barco a vela, basta fazer o que fez a Shirley Valentine (se ainda não viu, veja o filme!) ou ter um amor proibido ou, mais perigoso que tudo isso, a coragem de pensar o que nunca pensou. Pensar é coisa muito perigosa...

Não, saúde mental elas não tinham. Eram lúcidas demais para isso. Elas sabiam que o mundo é controlado pelos loucos e idosos de gravata. Sendo donos do poder, os loucos passam a ser os protótipos da saúde mental. Claro que nenhum dos nomes que citei sobreviveria aos testes psicológicos a que teria de se submeter se fosse pedir emprego numa empresa. Por outro lado, nunca ouvi falar de político que tivesse estresse ou depressão. Andam sempre fortes em passarelas pelas ruas da cidade, distribuindo sorrisos e certezas.

Sinto que meus pensamentos podem parecer pensamentos de louco e por isso apresso-me aos devidos esclarecimentos.

Nós somos muito parecidos com computadores. O funcionamento dos computadores, como todo mundo sabe, requer a interação de duas partes. Uma delas chama-se *hardware*, literalmente "equipamento duro", e a outra denomina-se *software*, "equipamento macio". O *hardware* é constituído por todas as coisas sólidas com que o aparelho é feito. O *software* é constituído por entidades "espirituais" – símbolos que formam os programas e são gravados nos disquetes.

Nós também temos um *hardware* e um *software*. O *hardware* são os nervos do cérebro, os neurônios, tudo aquilo que compõe o sistema nervoso. O *software* é constituído por uma série de programas que ficam gravados na memória. Do mesmo jeito como nos computadores, o que fica na memória são símbolos, entidades levíssimas, dir-se-ia mesmo "espirituais", sendo que o programa mais importante é a linguagem.

Um computador pode enlouquecer por defeitos no *hardware* ou por defeitos no *software*. Nós também. Quando o nosso *hardware* fica louco há que chamar psiquiatras e neurologistas, que virão com suas poções químicas e bisturis consertar o que se estragou. Quando o problema está no *software*, entretanto, poções e bisturis não funcionam. Não se conserta um programa com chave de fenda. Porque o *software* é feito de símbolos, somente símbolos podem entrar dentro dele. Assim, para lidar com o *software* há que fazer uso de símbolos. Por isso, quem trata das perturbações do *software* humano nunca se vale de recursos físicos para tal. Suas ferramentas são palavras, e eles podem ser poetas, humoristas, palhaços, escritores, gurus, amigos e até mesmo psicanalistas.

Acontece, entretanto, que esse computador que é o corpo humano tem uma peculiaridade que o diferencia dos outros: o seu *hardware*, o corpo, é sensível às coisas que o seu *software* produz. Pois não é isso que acontece conosco? Ouvimos uma música e choramos. Lemos os poemas eróticos do Drummond e o corpo fica excitado.

Imagine um aparelho de som. Imagine que o toca-discos e os acessórios, o *hardware*, tenham a capacidade de ouvir a música que ele toca e de se comover. Imagine mais, que a beleza é tão grande que o *hardware* não a comporta e se arrebenta de emoção! Pois foi isso que aconteceu com aquelas pessoas que citei no princípio: a música que saía do seu *software* era tão bonita que o seu *hardware* não suportou.

Dados esses pressupostos teóricos, estamos agora em condições de oferecer uma receita que garantirá, àqueles que a seguirem à risca, saúde mental até o fim dos seus dias.

Opte por um *soft* modesto. Evite as coisas belas e comoventes. A beleza é perigosa para o *hardware*. Cuidado com a música. Brahms e Mahler são especialmente contraindicados. Já o *rock* pode ser tomado à vontade. Quanto às leituras, evite aquelas que fazem pensar. Há uma vasta literatura especializada em impedir o pensamento. Se há livros do doutor Lair Ribeiro, por que se arriscar a ler Saramago? Os jornais têm o mesmo efeito. Devem ser lidos diariamente. Como eles publicam diariamente sempre a mesma coisa com nomes e caras diferentes, fica garantido que o nosso *software* pensará sempre coisas iguais. E, aos domingos, não se esqueça do Silvio Santos e do Gugu Liberato.

Seguindo esta receita você terá uma vida tranquila, embora banal. Mas como você cultivou a insensibilidade, você não perceberá o quão banal ela é. E, em vez de ter o fim que tiveram as pessoas que mencionei, você se aposentará para, então, realizar os seus sonhos. Infelizmente, entretanto, quando chegar tal momento, você já terá se esquecido de como eles eram.

UM ÚNICO MOMENTO

Há uma morte feliz. É aquela que acontece no tempo certo. O rei, transbordante de felicidade pelo nascimento do seu primeiro neto, convidara todos os poetas, gurus e magos do reino a ir ao palácio a fim de escreverem num livro de ouro seus bons desejos para a criança. Um sábio de muito longe, desconhecido, escreveu: "Morre o avô, morre o pai, morre o filho...". O rei, enfurecido, mandou prendê-lo no calabouço. A caminho do calabouço, passou pelo rei, que o amaldiçoou pelas palavras escritas. O sábio respondeu: "Majestade, qual é a maior tristeza de um avô? Não é, porventura, ver morrer seu filho e seu neto? Qual é a maior tristeza de um pai? Não é, porventura, ver morrer o filho? Ah! Quanto não dariam eles para poder trocar de lugar com os filhos e netos mortos... Felicidade é morrer na ordem certa. Morre primeiro o avô, vendo filhos e netos. Morre depois o pai, vendo seus filhos...". Ouvindo isso, o rei tomou as mãos do sábio nas suas e beijou-as...

Não acredito que haja dor maior que a morte de um filho. A princípio é uma dor bruta, sem forma ou sem cores, como se fosse uma montanha de pedra que se assenta sobre o peito, eternamente. Com o passar do tempo essa dor bruta se transforma. Passa a ser muitas, cada uma com um rosto diferente, falando coisas diferentes.

Há aquela dor que é a pura tristeza pela ausência. Ela só chora e diz: "Nunca mais...". Outra é aquela dor que se lembra das coisas que foram feitas e deveriam ter sido feitas: a palavra que não foi dita, o gesto que não foi feito. É a dor da saudade misturada com a tristeza da culpa. E há uma outra dor: a tristeza de que o filho não tenha completado o que começara.

Existe grande alegria em terminar a obra que se iniciou: ver a casa pronta, o livro escrito, o jardim florescendo. A vida de um filho é assim: um sonho a ser realizado. Aí vem o impossível meteoro que estilhaça o sonho. Fica a casa não terminada, o livro por escrever, o jardim interrompido.

Essa era uma das dores daquele pai que me falava da sua dor pela morte do filho. Lembrei-me de um livro que li, faz muito tempo, *Lições de abismo*, de Gustavo Corção. Era a estória de um homem, 50 e poucos anos, que descobre que teria não mais que seis meses de vida – a doença que estava em seu corpo matava rapidamente. Sem futuro, ele examina o passado, em busca de sinais de que não vivera em vão. O que encontra: cacos, fragmentos, fracassos, um casamento desfeito, a solidão. Pensa então que a vida deveria ser como uma sonata de Mozart que dura não mais que 20 minutos. Morre cedo. Depois dela vem o silêncio. Morte feliz. O silêncio se faz porque tudo o que havia para ser dito havia sido dito. Mas a sua vida – o disco se quebraria antes que pudesse dizer qualquer coisa. Sua sonata nem mesmo se iniciara...

Assim sentia aquele pai: seu filho era uma sonata que mal se iniciara.

Se eu morrer agora, não terei do que me queixar. A vida foi muito generosa comigo. Plantei muitas árvores, tive três filhos, escrevi livros, tenho amigos. Claro, sentirei muita tristeza, porque a vida é bela, a despeito de todas as suas lutas e desencantos. Quero viver mais, quero terminar a minha sonata. Mas se por acaso ela ficar inacabada, outros poderão arrumar o seu fim. Assim aconteceu com a *Arte da fuga*, de Bach (1685-1750). O tema eram as notas do seu próprio nome, BACH, si bemol, lá, dó, si natural. Na última página do manuscrito, letra de Carl Philipp Emanuel, filho de Bach, está escrito: "N.B.: No curso dessa fuga, no ponto em que o nome B.A.C.H. foi introduzido como contratema, o compositor morreu". Bach morreu, mas a obra já estava claramente estruturada. Foi possível a um outro terminá-la. Se o mesmo acontecer comigo não terei do que me queixar. Mas fica a pergunta: e aqueles que não tiveram tempo para escrever o seu nome?

Já me fiz essa pergunta várias vezes, pensando nos meus filhos. Eu também queria que eles levassem suas sonatas até o fim, mesmo que eu não estivesse aqui para ouvi-las. Mas não se pode ter certeza. A possibilidade terrível sempre pode acontecer. E se ela acontece, vem o sentimento terrível de que tudo foi inútil.

Aí, de repente, eu experimentei *satori*: abriram-se meus olhos, e vi como nunca havia visto. Senti que o tempo é apenas um fio. Nesse fio vão sendo enfiadas todas as experiências de beleza e de amor por que passamos. "Aquilo que a memória amou fica eterno". Um pôr do sol, uma carta que se recebe de um amigo, os campos de capim-gordura brilhando ao sol nascente, cheiro do jasmim, um único olhar de uma pessoa amada, a sopa borbulhante sobre o fogão de lenha, as árvores de outono, o banho de cachoeira, mãos que se seguram, o abraço de um filho: houve muitos momentos em minha vida de tanta beleza que eu disse para mim mesmo: "Valeu a pena eu ter vivido toda a minha vida para viver esse único momento". Há momentos efêmeros que justificam toda uma vida.

Compreendi, de repente, que a dor da sonata interrompida se deve ao fato de que vivemos sob o feitiço do tempo. Achamos que a vida é uma sonata que começa com o nascimento e deve terminar com a velhice. Mas isso está errado. Vivemos no tempo, é bem verdade. Mas é a eternidade que dá sentido à vida.

Eternidade não é o tempo sem fim. Tempo sem fim é insuportável. Já imaginaram uma música sem fim, um beijo sem fim, um livro sem fim? Tudo o que é belo tem de terminar. Tudo o que é belo tem de morrer. Beleza e morte andam sempre de mãos dadas.

Eternidade é o tempo completo, esse tempo do qual a gente diz: "Valeu a pena". Não é preciso evolução, não é preciso transformação: o tempo é completo e a felicidade é total. É claro que isso, como diz Guimarães Rosa, só acontece em raros momentos de distração. Não importa. Se aconteceu fica eterno. Por oposição ao "nunca mais" do tempo cronológico, esse momento está destinado ao "para todo o sempre".

Compreendi, então, que a vida não é uma sonata que, para realizar a sua beleza, tem de ser tocada até o fim. Dei-me conta, ao contrário, de que a vida é um álbum de minissonatas. Cada momento de beleza vivido e amado, por efêmero que seja, é uma experiência completa que está destinada à eternidade. Um único momento de beleza e amor justifica a vida inteira.

※

TRANQUILIZE-SE...

Então você está com medo porque acha que a sua vida está prestes a desmoronar: paredes que você considerava firmes estão fora de prumo, há sinais de rachaduras no reboco, as lâmpadas no teto balançam sugerindo terremotos que se aproximam, pensa até em mudar para outras paragens, ninguém segura terremoto, você escora as paredes, mas não põe muita fé no que está fazendo, escora outras, mas você é fraco demais para tanta confusão, parece que tudo é inútil, as coisas não se encaixam, sua alma se agita, há muito que você não conhece a felicidade de uma noite de sono feliz, cada manhã é uma angústia, seu corpo está perturbado, faz coisas que não deveria fazer, fere pessoas por onde passa, justamente as pessoas que você ama e que são a razão de ser da sua vida. É triste isto: que frequentemente sejam as pessoas amadas as que vão receber o veneno que se ajuntou em nós. Aí, ao sentimento de catástrofe junta-se o sentimento de culpa, como se você fosse a causa de tudo o que existe de errado.

Quando isso ocorre, a gente começa a sentir raiva e dó da gente mesmo. Essa combinação de sentimentos é letal. Uma vez vi uma maria-fedida chupando os sucos de uma lagarta: enfiou dentro dela uma pequena tromba e foi chupando, chupando, do mesmo jeito que se chupa iogurte com canudinho. A lagarta foi esvaziando até ficar como um saco de pele vazio. Cuidado! Os sentimentos de autopiedade podem fazer com você o que a maria-fedida fez com a lagarta: eles nos exaurem de nossas energias.

Aconselho-o a tomar um banho frio. Banho quente não. Dá moleza. Fuja de quem tem dó de você e deseja consolá-lo. Prefira a voz dura do bruxo D. Juan. O aprendiz de feitiçaria Carlos Castaneda começou com uma conversa choramingas e logo recebeu do feiticeiro um golpe:

> Sua cabeça é um saco de lixo. Você precisa ouvir a sabedoria da morte. A morte é a única conselheira sábia que temos. Sempre que você sentir, como você sente sempre, que tudo está errado e que você está prestes a ser aniquilado, volte-se para a sua morte e pergunte-lhe se é assim mesmo. Sua morte lhe dirá que você está errado. Nada realmente importa, fora do seu toque. Sua morte lhe dirá: "Eu ainda não o toquei".

A morte ainda não o tocou. Portanto, seus motivos de queixa não têm importância. Mais cedo ou mais tarde seus problemas vão se resolver, de um jeito ou de outro.

Há dois tipos de problemas.

Primeiro, os problemas reais: uma cólica renal, uma goteira, uma conta para pagar, uma perna quebrada, um pneu furado, os pratos do jantar para lavar, um amor que não deu certo, uma pessoa querida que morreu.

Esses problemas se resolvem de duas formas. Os pratos a gente lava, o pneu a gente troca, a perna quebrada se encana. Problemas que devem ser resolvidos sem reclamação e sem muito falatório, pois reclamações e falatórios, além de nada contribuírem para a solução dessas contrariedades, só servem para produzir irritação. Os faladores são especialistas nisso.

Outros não têm solução. O amor que não deu certo, a pessoa querida que morreu: só resta chorar. E o importante é enxotar os consoladores, que são a praga-mor daqueles que estão sofrendo. Os consoladores acham sempre que suas tolas palavras são capazes de encher o vazio do sofrimento.

Problemas, sofrimentos, frustrações são partes da vida. Não é possível evitá-los. Mas é possível sofrê-los com sabedoria.

Por isso cuide de seu corpo e de sua alma. Frequentemente as pessoas me perguntam: "Tudo bem?". Eu respondo: "Nem para Deus, todo-poderoso, as coisas vão bem. As coisas não vão bem, mas eu vou bem". É como no avião: lá fora está uma terrível tempestade, nuvens pretas, não se vê nada, os raios iluminam o escuro, o avião pula como um cavalo bravo. E eu, já que não posso mesmo fazer coisa alguma, vou tomando o meu uisquinho. O medo é enorme. Mas entre medo sem uísque e medo com uísque, prefiro a segunda alternativa. Na vida é assim: tudo vai mal, mas é preciso que o corpo e a alma sejam um centro de tranquilidade.

Mas essa tranquilidade não acontece por acaso. Ela é o resultado de disciplina.

Sugiro que o primeiro ato do seu dia seja um ato de defesa. Há uma série de encheções à sua espera: listas de coisas para fazer, compras, providências práticas, crianças a serem levadas à escola. Claro, você não poderá fugir dessas responsabilidades. Mas não deixe que sejam elas as primeiras a entrar em seu corpo. Lide com elas com a sobriedade zen. Caso contrário, elas tomarão conta do seu corpo e da sua alma e se transformarão numa legião de demônios a atormentá-lo através do dia.

Tire 15 minutos da manhã, antes de fazer qualquer coisa. Não é muito tempo. E você merece. Ponha uma música para tocar. Há tanta coisa bonita. O canto gregoriano, as sonatas de Scarlatti, as sonatas para violino e piano de Bach, os concertos de Vivaldi, os concertos de

Mozart, as mazurcas de Chopin (pura brincadeira), as *Cenas infantis* ou as *Cenas de floresta* de Schumann. Esses são gostos meus. Você terá os gostos seus. O importante é que, no início da manhã, a música seja cheia de paz.

Enquanto você ouve música, leia. Estou me deleitando com a leitura do livro de Eclesiastes, e estou mesmo me atrevendo a uma tradução poética minha: "Neblinas, neblinas, tudo são neblinas", diz o poeta. "O homem, por mais que trabalhe, poderá por acaso produzir algo sólido, que não seja neblina? Uma geração passa, outra geração lhe sucede – como a neblina; somente a terra permanece..."

Esse sentimento de que tudo é espuma e areia tem um efeito tranquilizador. Tudo é neblina, tudo é espuma. Pense na praia, ao final do dia, arrasada pela praga dos humanos que a violentam de todas as formas possíveis. Vem a noite. A solidão. Sobe a maré. Pela manhã a praia é uma pele lisa, jovem, sem nenhuma cicatriz. Toda a loucura humana foi esquecida. Pois assim mesmo é a vida: tudo será esquecido – de sorte que não vale a pena nos afligirmos.

E reze o poema de Ricardo Reis, resumo da minha filosofia de vida:

Mestre, são plácidas todas as horas que nós perdemos, se no perdê-las, qual numa jarra, nós pomos flores. Não há tristezas nem alegrias na nossa vida. Assim saibamos, sábios incautos, não a viver, mas decorrê-la, tranquilos, plácidos, tendo as crianças por nossas mestras, e os olhos cheios de natureza. À beira-rio, à beira-estrada, conforme calha, sempre no mesmo leve descanso de estar vivendo. O tempo passa. Não nos diz nada. Envelhecemos. Saibamos, quase maliciosos, sentir-nos ir. Não vale a pena fazer um gesto. Não se resiste ao deus atroz que os próprios filhos devora sempre. Colhamos flores. Molhemos leves as nossas mãos nos rios calmos, para aprendermos calma também. Girassóis sempre fitando o sol, da vida iremos tranquilos, tendo nem o remorso de ter vivido.

Igual ao sábio das Escrituras é a Cecília Meireles: se a morte ainda não o tocou, trate de aprender a viver com sabedoria. A sabedoria não é garantia de felicidade. A vida não oferece garantias de felicidade para ninguém. Como disse Guimarães Rosa, "felicidade só em raros momentos de distração". Mas a sabedoria nos livra dos sofrimentos provocados pela nossa própria loucura. Quem é sábio sofre pelas razões justas e, por isso mesmo, sofre com tranquilidade. A sabedoria nos traz paz de espírito. Que é aquilo que mais o coração deseja. Paz de espírito é como um campo batido pelo vento, como um riacho de águas limpas, como uma borboleta pousada sobre uma flor.

A cabeça é um útero terrível. Dela tanto podem sair flores e borboletas quanto charcos e escorpiões. De vez em quando ela é invadida pelos demônios das catástrofes e dos horrores – e aí não existe corpo que aguente. Os tais demônios são produtores de filmes, que ficam sendo exibidos em sessão contínua em nossa cabeça.

AS IDEIAS LOUCAS

Outro dia fui subitamente invadido por um medo de que os meus leitores, ao tomarem conhecimento das ideias malucas que passam pela minha cabeça, concluíssem que devo ser meio louco.

Pois desejo tranquilizá-los. Depois de muito meditar sobre o assunto, cheguei à conclusão de que nenhuma ideia, por louca que seja, é louca. Quem pensa ideias loucas não é louco.

Essa afirmação, eu imagino, ao juízo dos meus leitores, é prova de minha loucura. Ao invés de me inocentar pela minha explicação, acabo por confessar minha culpa.

Se eu sou louco vou para o hospício na companhia de pessoas muito interessantes. Por exemplo, a Cecília Meireles, que teve a ideia louca de que seus olhos eram dois peixes que nadavam no fundo do mar, lugar onde se encontrou com os olhos de um outro louco parecido, o poeta T.S. Eliot, que, a se acreditar em suas palavras, também gostavam de nadar no azul profundo.

E o Fernando Pessoa que, de forma desavergonhada, insistia em contar uma mentira, dizendo que um dia o Jesus menino se encheu da chatura dos céus e baixou no seu quintal, tendo os dois, o Deus e o Poeta, se tornado bons amigos e mesmo jogado as cinco pedrinhas.

Depois o Drummond que, mais louco do que eu, se entregava a divagações sobre se Deus era canhoto – para ele a única explicação possível para a condição sinistra do nosso mundo.

Também o Lewis Carroll, que conversava não só com um coelho que usava relógio como também com as cartas do baralho, além de viver se gabando do seu poder de atravessar o espelho sem quebrar o vidro.

Aquele cego vidente assentado à biblioteca é Jorge Luis Borges, que tem nas mãos mapas imaginários de lugares que não existem, como Tlon, Uqbar, Zahir e Aleph, e sobre os quais discorre longamente com uma profusão de detalhes que até nos faz suspeitar de que ele deve ter estado lá... na Terra do Nunca...

Os pintores são os mais loucos de todos. Bosch pintou animais de três cabeças, corpos com órgãos vegetais, como se árvores fossem, e, de forma despudorada e suspeita, indivíduos nus com ramos floridos enfiados naquele lugar íntimo, assim transformado em vaso de flor, por artes do pintor.

Salvador Dalí exibe seus relógios surrealistas, moles como panquecas, ao lado dos rios que sobem morros, do Escher, e a monstruosa menina ao espelho, de Picasso.

Todas essas são ideias completamente loucas. Se qualquer um deles chegasse ao doutor Simão Bacamarte e, deitado no divã terapêutico, se pusesse a relatá-las, seria imediatamente internado no hospício.

Mas nenhum deles foi internado por ter tido tais ideias e visões. Pelo contrário, foram honrados como artistas e alguns conseguiram mesmo ficar ricos com tais loucuras.

Compreendem agora o que eu disse no início, que nenhuma ideia, por louca que seja, é louca? O que faz um louco não é a loucura da ideia. É a força da ideia.

O louco tem ideias fortes. O não louco tem ideias fracas. De novo digo uma doidice, pois todo mundo sabe que a verdade é o contrário; doido é pessoa fraca de ideias, enquanto os não doidos têm ideias fortes.

Errado. Os não loucos sabem que as ideias são entidades fraquinhas, meras bolhas de sabão sem poder, não podem fazer nada, brinquedos etéreos com que a cabeça se diverte. Por isso as ideias não os assustam. Nem mesmo se mexem quando a sala se enche de elefantes, não têm medo de bichos de três cabeças, nem se apavoram com a visão de rituais sexuais invertidos e perversos. Eles sabem que aquilo tudo é só ideia, coisa do mundo do faz de conta... Assim sendo, apressam-se em brincar com as ideias loucas, transformando-as em literatura, poesia, pintura... A alegria da cabeça se faz assim: com ideias loucas, fracas.

Já o louco, coitado, não sabe disso. A ideia louca aparece, ele não sabe que a ideia é fraca e não pode fazer nada, pensa que ela é forte, de verdade... O elefante, em vez de virar estória, pisa no sofá. O bicho de três cabeças, em vez de virar quadro, morde a sua orelha. E o ritual sexual, em vez de virar filme pornô, entra no quarto dele e ele acaba estuprado...

Para deixar de ser louco não é preciso mudar de ideia. É só pegar a ideia e transformá-la em arte e poesia. Assim, não pensem que estou louco. O que eu gosto mesmo é de brincar com as ideias. E os brinquedos – quanto mais loucos, mais divertidos...

Assim, para se livrar da loucura é fácil: basta ter o poder de rir das ideias loucas e brincar com elas. O mundo é um circo das coisas loucas, soltas e enjauladas. Seja, desse circo, o palhaço... Siga o conselho do Mario Quintana que dizia que, para afugentar o dragão que corre atrás da gente soltando fogo pela boca, basta olhar para ele e dizer: "Fifi! Fifi!". Não há dragão forte que resista ao poder de uma palavrinha fraca que provoca o riso...

O CAOS E A BELEZA

Quando eu era seminarista, gostava de dormir ouvindo música. Eu tinha um radinho de válvulas e a música vinha sempre misturada com os ruídos da estática. Eu preferia a música às rezas. Se eu fosse Deus também preferiria.

Na verdade, eu já não rezava mais por duas razões. Primeiro, as aulas de teologia, pela mediocridade, me fizeram pensar, e o pensamento é um perigoso adversário das ideias religiosas. Eu nem sabia se ainda acreditava em Deus. Segundo, se Deus existia, valia o dito pelo salmista e por Jesus, de que antes que eu falasse qualquer coisa, Deus já sabia o que eu iria falar, o que tornava desnecessária a minha fala. Eu estava mais interessado em ouvir a divina beleza da música que em repetir as minhas mesmices que deveriam dar um tédio infinito ao Criador.

Se Deus existe, a beleza é o seu jeito de se comunicar com os mortais. Disso sabem os poetas, como é o caso da Helena Kolody, que escreveu: "Rezam meus olhos quando contemplo a beleza. A beleza é a sombra de Deus no mundo". Ela poderia ter sido uma amiga da solitária Emily Dickinson, que sentia igual:

Alguns guardam o Domingo indo à Igreja
Eu o guardo ficando em casa
Tendo um Sabiá como cantor
E um Pomar por Santuário.
Alguns guardam o Domingo em vestes brancas
Mas eu só uso minhas Asas
E ao invés do repicar dos sinos na Igreja
nosso pássaro canta na palmeira.
É Deus que está pregando, pregador admirável
E o seu sermão é sempre curto.
Assim, ao invés de chegar ao Céu, só no final
eu o encontro o tempo todo no quintal.

Às vezes Deus se revela como pássaro...

Deitei-me e liguei o radinho. Era uma noite de mau tempo, tempestade. O ar estava carregado de eletricidade que entrava no rádio em forma de ruídos, estática, assobios. Era um caos sem sentido. Mas eu não perdi a esperança e continuei a procurar. De repente – a estática dominava a audição –, ouvi lá no fundo uma música que muito amo: o *Concerto para piano e orquestra n. 1*, de Chopin.

Fiquei ali lutando contra a estática: 90% de ruído caótico, 10% de beleza.

Não entendo este mistério: todos os sons, estática e música chegavam juntos, misturados. Mas a minha alma, sem que tivesse sido ensinada, sabia distinguir muito bem o ruído caótico e sem sentido dos sons da beleza, que me comoviam. Minha alma sabia que a ordem morava no meio do caos e ela estava disposta a suportar o horrendo do caos pela beleza quase inaudível que existia no meio dele.

Aí me veio uma ideia em forma de uma pergunta que me pareceu uma revelação: a vida toda não será assim, uma luta contra o caos sem sentido em busca de uma beleza escondida? E essa busca da beleza, não será ela a essência daquilo a que se poderia dar o nome de "sentimento religioso"?

"Sentimento religioso", como eu o entendo, nada tem a ver com ideias sobre o outro mundo. É algo parecido com a experiência que se tem ao ouvir a "Valsinha" do Chico, ou a primeira balada de Chopin.

Uma sonata de Mozart... Um crítico musical poderia escrever um livro inteiro analisando e descrevendo a sonata. Mas ao final da leitura do livro o leitor continuaria sem nada saber sobre a sua beleza. A beleza está além das palavras, exceto quando as palavras se transformam em música, como na poesia.

Ficou aquela imagem. Uma melodia linda se faz ouvir em meio aos horrores da vida. Ainda que seja uma "marcha fúnebre".

❋

SOBRE DEUSES E REZAS

Perdida no meio dos viajantes que enchiam o aeroporto, ela era uma figura destoante. A roupa largada, os passos pesados, uma sacola de plástico pendurada numa das mãos – esses sinais diziam que ela já não mais ligava para a sua condição de mulher: não se importava em ser bonita. Pensei mesmo que se tratasse de uma freira. Seu comportamento era curioso: dirigia-se às pessoas, falava por alguns momentos e, como não lhe prestassem atenção, procurava outras com quem falar. Quando vi que ela tinha uma Bíblia na mão, compreendi tudo: ela se imaginava possuidora de conhecimentos sobre Deus que os outros não possuíam e tratava de salvar a alma deles.

Meu caminho me obrigou a passar perto dela – e quando olhei para o seu rosto de perto levei um susto: eu o reconheci de outros tempos, quando ela era uma moça bonita que ria e brincava e para quem olhávamos com olhares de cobiça.

Não resisti e chamei alto o seu nome. Ela se espantou, olhou-me com um olhar interrogativo, não me reconheceu. Com razão. Os muitos anos deixam suas marcas no rosto.

– Eu sou o Rubem!

Seu rosto se iluminou pela lembrança, sorriu, e pensei que poderíamos nos assentar e conversar sobre as nossas vidas. Mas sua preocupação com a minha alma não permitia essas perdas de tempo com conversa fiada. E ela tratou de verificar se o meu passaporte para a eternidade estava em ordem.

– Você continua firme na fé! – Ela afirmou interrogativamente.

– Mas de jeito nenhum – respondi. – Então você deixou de ler a Bíblia? Pois lá está dito que Deus é espírito, vento impetuoso que sopra em todo lugar, o mesmo vento que ele soprou dentro da gente para que respirássemos, fôssemos leves e pudéssemos voar. Quem está no vento não pode estar firme. Firmes são as pedras, as tartarugas, as âncoras. Você já viu um papagaio firme? Papagaio firme é papagaio no chão, não voa. Pois eu estou mais é como urubu, lá nas alturas, flutuando ao sabor do imprevisível Vento Sagrado, sem firmeza alguma, rodando em largos círculos.

Ela ficou perdida, acho que nunca havia ouvido resposta tão estranha, mudou de tática e tentou pegar a minha alma do outro lado, desatou a falar de Deus, informou-me que ele é maravilhoso etc., etc., etc., como se estivesse no púlpito em celebração de domingo.

Refuguei.

– Acho que quem não está firme em Deus é você – eu disse. – Olha, passei a noite toda respirando, estou respirando desde que acordei, e juro que agora é a primeira vez que penso no ar. Não pensei nem falei no ar porque somos bons amigos. Ele entra e sai do meu corpo quando quer, sem pedir licença. Mas a estória seria outra se eu estivesse com asma, os brônquios apertados, o ar sem jeito de entrar, ou, como naquele anúncio antigo do xarope Bromil, o coitado do homem sufocado por uma mordaça, gritando pelo ar que lhe faltava. Por via das dúvidas até andaria com uma garrafa de oxigênio na bagagem, para qualquer emergência.

– Pois Deus é como o ar – continuei. – Quando a gente está em boas relações com ele, não é preciso falar. Mas quando a gente está atacado de asma, então é preciso ficar gritando por Deus. Do jeito como o asmático invoca o ar. Quem fala com Deus o tempo todo é asmático espiritual. E é por isso que andam sempre com Deus engarrafado em Bíblia e outros livros e coisas de função parecida. Só que o vento não pode ser engarrafado...

Aí ela viu que minha alma estava perdida mesmo e, como consolo, fez um sinal de adeus e disse que iria orar muito por mim. Aí eu protestei, implorei que não o fizesse. Disse-lhe que eu tinha medo de que Deus ficasse ofendido. Pois há rezas e orações que são ofensas. Pois é óbvio: se vou lá, bater às portas de Deus, pedindo que ele tenha dó de alguém, eu lhe estou imputando duas imperfeições que, se fosse comigo, me deixariam muito bravo.

Primeiro, estou dizendo que não acredito no amor dele, deve ser meio fraquinho, sem iniciativa, preguiçoso, à espera do meu cutucão. Se eu não der a minha cutucada, Deus não se mexe. E isso não é coisa de ofender Deus? Segundo, estou sugerindo que Ele deve andar meio esquecido, desmemoriado, necessitando de um secretário que lhe lembre de suas obrigações. E trato de, diariamente, apresentar-lhe a sua agenda de trabalho. Mas está lá nos Salmos e nos Evangelhos que Deus sabe tudo antes que a gente fale qualquer coisa. Ora, se a gente fica no falatório é porque não acredita nisso. Não acredito em oração em que a gente fala e Deus escuta. Acredito mesmo é na oração em que a gente fica quieto para ouvir a voz que se faz ouvir no meio do silêncio.

– Veja você. Tive um filho que estudava longe. Eu gostava dele. Ele gostava de mim. De vez em quando a gente se falava ao telefone. E o dinheiro da mesada ia sempre, com telefonema ou sem telefonema. Agora imagine: de repente começo a receber telefonemas dele três vezes por dia e mensagens por sedex, cartas e telegramas louvando o meu amor, agradecendo a minha generosidade... Você acha que isso me faria feliz? De jeito nenhum. Concluiria que o meu pobre filho havia endoidecido e estava acometido de um terrível medo de que eu o abandonasse. Pois é assim mesmo com Deus: quem fica o dia inteiro atrás dele, com falatório, é porque desconfia dele. Mas o pior é o gosto estético que assim se imputa a Deus. Uma pessoa que gosta de passar o dia inteiro ouvindo os outros repetindo as mesmas coisas, as mesmas palavras, as mesmas rezas, pela eternidade afora, não deve ser muito boa da cabeça. Para mim isso é o inferno. Quem reza demais acha que Deus não funciona bem da cabeça. Acho que ele ficaria mais feliz se, em vez do meu falatório, eu lhe oferecesse uma sonata de Mozart ou um poema da Adélia... Mas aí o alto-falante chamou o meu voo, tive de me despedir, e imagino que ela ficou aflita, temerosa de que Deus derrubasse meu avião com um raio. Mal sabia ela que Deus nem mesmo havia ouvido a nossa conversa, pois, cansado das doidices dos adultos, ele foge sempre que vê dois deles conversando e se esconde, disfarçado de criança.

※

A ALEGRIA DA MÚSICA

Eu gosto muito de música clássica. Comecei a ouvir música clássica antes de nascer, quando ainda estava na barriga da minha mãe. Ela era pianista e tocava... Sem nada ouvir, eu ouvia. E assim a música clássica se misturou com minha carne e meu sangue. Agora, quando ouço as músicas que minha mãe tocava, eu retorno ao mundo inefável que existe antes das palavras, onde moram a perfeição e a beleza.

Em outros tempos, falava-se muito mal da alienação. A palavra "alienado" era usada como xingamento. Alienação era uma doença pessoal e política a ser denunciada e combatida. A palavra *alienação* vem do latim *alienum*, que quer dizer "que pertence a um outro". Daí a expressão *alienar um imóvel*. Pois a música produz alienação: ela me faz sair do meu mundo medíocre e entrar num outro, de beleza e formas perfeitas. Nesse outro mundo eu me liberto da pequenez e das picuinhas do meu cotidiano e experimento, ainda que momentaneamente, uma felicidade divina. A música me faz retornar à harmonia do ventre materno. Esse ventre é, por vezes, do tamanho de um ovo, como na *Reverie*, de Schumann; por vezes é maior que o universo, como no *Concerto n. 3*, de Rachmaninoff. Porque a música é parte de mim, para me conhecer e me amar é preciso conhecer e amar as músicas que amo. Agora mesmo estou a ouvir uma fita cassete que me deu o Ademar Ferreira dos Santos, um amigo português. Viajávamos de carro a caminho de Coimbra. O Ademar pôs música a tocar. Ele sempre faz isso. Fauré, numa transcrição para piano. A beleza pôs fim à nossa conversa. Nada do que disséssemos era melhor que a música. A música produz silêncio. Toda palavra é profanação. Faz-se silêncio porque a beleza é uma epifania do divino. Ouvir música é oração. Assim, eu e o Ademar, descrentes de outros deuses, adoramos juntos no altar da beleza. Terminada a viagem, o Ademar retirou a fita e m'a deu. "É sua", ele disse de forma definitiva. Protestei. Senti-me mal, como se fosse um ladrão. Mas não adiantou. Há gestos de amizade que não podem ser rejeitados. Assim, trouxe comigo um pedaço do Ademar que é também um pedaço de mim.

A música clássica dá alegria. Há músicas que dão prazer. Mas a alegria é muito mais que o prazer. O prazer é coisa humana, deliciosa. Mas é criatura do primeiro olho, onde moram as coisas do tempo, efêmeras, que aparecem e logo desaparecem. A alegria, ao contrário, é criatura do segundo olho, das coisas eternas que permanecem. Superior ao prazer, a alegria tem o poder divino de transfigurar a tristeza. Haverá maior explosão de alegria do que a parte final da *Nona sinfonia*? E, no entanto, a vida de Beethoven chegava ao fim, marcada pela tristeza suprema de não poder ouvir o que mais amava, a música. Estava totalmente surdo. Mas é precisamente dessa tristeza que nasce a beleza. No último movimento, Beethoven faz o coro cantar a "Ode à alegria", de Schiller. Sempre que a ouço, imagino Beethoven de pé sobre um alto rochedo à beira-mar. O céu está negro. O mar ruge furioso. Respingos e espumas molham sua roupa. Mas ele parece ignorar a fúria da natureza. Sorri, abre os braços e rege... o mar. A tempestade não cessa, continua. Mas a fúria se põe a cantar a alegria! Abre-se uma fresta nas nuvens negras através da qual se pode ver o céu azul...

A *Nona sinfonia* me faz triste-alegre. Esta é a magia da beleza: ela é um triunfo sobre a tristeza. Feiticeira, a beleza é o poder mágico que transforma a tristeza triste em tristeza alegre... É só por isso que eu a quero ouvir vezes sem conta. Porque a vida é triste. E nisso está a honestidade da música clássica: ela não mente. Se soubéssemos disso, se sentíssemos a tristeza da vida, seríamos mais mansos, mais sábios, mais bonitos.

Meu outro amigo português, professor José Pacheco, pastor da Escola da Ponte (ele se recusa a ser chamado de diretor. Por isso o chamo de "pastor", aquele que ama e cuida das ovelhas, as crianças. Não seria bonito se os professores se vissem como pastores de crianças?), conversando comigo sobre a música de Ravel, me disse que, por vezes, ele fica tão "possuído" que ouve um mesmo CD vezes repetidas, sem parar, não deseja ouvir outro. Comigo acontece o mesmo. A beleza produz uma "compulsão à repetição". Kierkegaard dizia que um amante seria capaz de falar sobre sua amada dias a fio sem se cansar, repetindo as mesmas coisas. Falamos para transformar a ausência em presença. Ao escrever estas linhas, estou tornando presente aquela viagem com o Ademar, a caminho de Coimbra, ouvindo Fauré. E estou de novo com o José Pacheco, conversando sobre Ravel e bebendo vinho.

Há músicas que contêm memórias de momentos vividos. Trazem-nos de volta um passado. Lembramo-nos de lugares, objetos, rostos, gestos, sentimentos... Lembrar-se do passado é triste-alegre... Alegre porque houve beleza de que nos lembramos. Triste porque a beleza é apenas lembrança... Não mais existe. Mas há músicas que nos fazem retornar a um passado que nunca aconteceu. É uma saudade indefinível, sentimento puro, sem conteúdo. Não nos lembramos de nada. Apenas sentimos. Sentimos a presença de uma ausência... Fernando Pessoa se refere a uma saudade vazia. Saudade é sempre "saudade de". Mas essa saudade é saudade pura, sem ser saudade de coisa alguma. Será possível ter saudades de algo que não foi vivido? Octavio Paz descreve uma dessas experiências no seu maravilhoso livro *O arco e a lira*. Ele diz:

Todos os dias atravessamos a mesma rua ou o mesmo jardim; todas as tardes nossos olhos batem no mesmo muro avermelhado, feito de tijolos e tempo urbano. [coisas do primeiro olho!] De repente, num dia qualquer, a rua dá para um outro mundo, o jardim acaba de nascer, o muro fatigado se cobre de signos. [o segundo olho!]

Nunca os tínhamos visto e agora ficamos espantados por eles serem assim: tanto e tão esmagadoramente reais. Sua própria realidade compacta nos faz duvidar: são assim as coisas ou são de outro modo? Não, isso que estamos vendo pela primeira vez já havíamos visto antes. Em algum lugar, no qual nunca estivemos, já estavam o muro, a rua, o jardim. E à surpresa segue-se a nostalgia. Parece que nos recordamos e quereríamos voltar para esse lugar onde as coisas são sempre assim, banhadas por uma luz antiquíssima e ao mesmo tempo acabada de nascer. Nós também somos de lá. Um sopro nos golpeia a fronte. Estamos encantados, suspensos no meio da tarde imóvel. Adivinhamos que somos de outro mundo. É lá que nasce o amor: nesse lugar onde nunca estivemos.

Mas esse lugar encantado, onde se encontra? Nunca o vimos e, a despeito disso, sabemos que é o nosso destino: queremos voltar. Você nunca sentiu isto, uma saudade indefinível de um lugar encantado em que você nunca esteve?

Na sua "Ode marítima", Fernando Pessoa escreve sobre a mesma experiência. De longe ele contempla o cais e seus navios.

Ah, todo o cais é uma saudade de pedra!
E quando o navio larga do cais
E se repara de repente que se abriu um espaço
Entre o cais e o navio,
Vem-me, não sei por quê,
uma angústia recente.
(...)
Ah, quem sabe, quem sabe,
Se não parti outrora, antes de mim,

Dum cais; se não deixei, navio ao Sol
Oblíquo da madrugada,
Uma outra espécie de porto?

Partir outrora, antes dele mesmo?

Há músicas que nos levam para o tempo "antes de nós mesmos" e para lugares onde nunca estivemos. Talvez o que Angelus Silesius disse para os olhos possa ser dito também para os ouvidos. Parafraseando-o: Temos dois ouvidos. Com um ouvimos as coisas do tempo, efêmeras, que desaparecem. Com o outro ouvimos as coisas da alma, eternas, que permanecem.

A "Valsinha" de Chico Buarque faz isso comigo. O que a "Valsinha" canta nunca aconteceu. Está fora do tempo. Está fora do espaço. E, no entanto, está no espaço e no tempo da minha alma. A "Valsinha" é um "pedaço arrancado de mim". Por isso rio e choro ao ouvi-la. Também a "Primeira balada" de Chopin, aquela que o pianista triste e esquálido tocou para o oficial alemão no filme *O pianista*. A "Chacona", de Bach. A sonata *Appassionata*, de Beethoven, que Lenin dizia ser capaz de ouvir indefinidamente. "Oblivion", de Piazzolla, que tanto comovia o Guido, meu amigo querido, que agora mora naquele "lugar onde as coisas são sempre banhadas por uma luz antiquíssima e ao mesmo tempo acabada de nascer".

A música tem virtudes médicas. Cura. Nesse tempo em que todo mundo sofre de estresse, aconselha-se música do estilo *new age* para acalmar. Comigo música *new age* não funciona. Tira-me o estresse transformando-me em gelatina. Dissolvo-me em águas indefinidas. Quando estou aos pedaços, deito-me no tapete da sala e o que quero ouvir é Bach. A música de Bach me estrutura, devolve-me o esqueleto, põe meus pedaços no lugar. O Bach dos corais, não o dos florais... Há música para os mais variados tipos de doença: Mozart, Beethoven,

Schumann, Chopin, Brahms, Ravel. Os médicos deveriam receitar aos seus pacientes, junto com os remédios bioquímicos, a música...

Bom seria se a música clássica se ouvisse nos consultórios médicos, nas escolas, nas fábricas, nos escritórios, nas rádios. Há cidades que têm essa felicidade: rádios FM que tocam música clássica o dia inteiro. A música clássica desperta, nas pessoas, aquilo que elas têm de melhor e de mais bonito. Música clássica contribui para a cidadania.

Fico triste pensando naqueles que nunca conhecerão esse prazer. Simplesmente porque a possibilidade não lhes foi oferecida. Eu tive a sorte de ter a minha mãe.

Música é vida interior.
E quem tem vida interior jamais está sozinho.

SUCESSO

Uma emissora de rádio pertencente a uma igreja queria me entrevistar. Explicaram: estavam entrevistando homens de sucesso. A religião ajuda as pessoas a serem bem-sucedidas. Aí eu respondi que não sabia o que era sucesso. Disse mais, que não sabia o que o sucesso tinha a ver com a fé cristã. Isso, muito embora a moda seja anunciar a mentira: "Deus o criou para ter sucesso...". Quem está bem com Deus tem sucesso? É por isso que é importante estar bem com Deus? Respondi que todos os homens que eu admirava foram homens fracassados. Porque sucesso é algo que tem a ver com os valores do grupo social dominante. E os homens que admiro estiveram sempre andando na direção contrária. O sorriso estereotipado dos profetas do sucesso, dentes brancos à mostra – "Seu destino é o pódio!" –, causa-me repulsa. Nunca mais entraram em contato comigo. Não tiveram sucesso.

❋

AS COISAS ESSENCIAIS

Leia este poema bem devagar, pois cada imagem merece a preguiça do olhar:

No mistério do Sem-Fim,
equilibra-se um planeta.
E, no planeta, um jardim,
e, no jardim, um canteiro:
no canteiro, uma violeta,
e, sobre ela, o dia inteiro,
entre o planeta e o Sem-Fim,
a asa de uma borboleta.

É pequeno, mas diz tudo. Nada lhe falta. *Uni-verso*. Nenhuma palavra lhe poderia ser acrescentada. Nenhuma palavra lhe poderia ser tirada. Assim se faz um poema, com palavras essenciais. O poema diz o essencial.

O essencial é aquilo que, se nos fosse roubado, morreríamos. O que não pode ser esquecido. Substância do nosso corpo e da nossa alma. Por isto as pessoas se suicidam: quando se sentem roubadas do essencial, mutiladas sem remédio, e a vida, então, não mais vale a pena ser vivida.

Os poetas são aqueles que, em meio a dez mil coisas que nos distraem, são capazes de ver o essencial e chamá-lo pelo nome. Quando isso acontece, o coração sorri e se sente em paz. Encontrou aquilo que procurava. Kirilov, personagem de Dostoievski, assim descreve o encontro com o essencial: "Há momentos em que a gente sente de súbito a presença da harmonia eterna. É um sentimento claro, indiscutível, absoluto. Apanhamos de repente a natureza inteira e dizemos *é exatamente assim*! É uma alegria tão grande! Se durasse mais de cinco segundos a alma não o suportaria e teria de desaparecer. Nesses cinco segundos vivo uma experiência inteira, e por eles daria toda a minha vida, pois eles bem o valem".

Chamava-se Norma. Estava doente, muito doente. Na véspera de sua morte, arrastou-se até o banheiro e foi até a pia para lavar-se dos vômitos. Abriu a torneira e a água fria escorreu sobre as suas mãos... Ela parou, como que encantada pelo líquido que a acariciava. E de sua boca saíram estas palavras inesperadas: "A água... Como é bela! Sempre que a vejo penso em Deus. Acho que Deus é assim...".

A Morte na pia.

A água que escorre...

Os olhos contemplam a eternidade...

O universo essencial da Norma está cheio de fontes frescas e regatos transparentes onde brincam as suas mãos.

O nome do filme eu nem me lembro. Sei que se passava no Japão. Um casal de velhinhos. A esposa havia morrido. Os filhos, reunidos para a divisão das coisas deixadas. De repente percebem uma ausência. O pai, onde estará? Pois não estava ali, entre eles. Depois de uma longa espera aflita, lá vem o seu vulto, banhado pela luz do crepúsculo.

– Papai, aonde foi? Estávamos preocupados!

– Aonde fui? Fui ver o pôr do Sol... É tão bonito...

Os filhos repartem os despojos.

Os olhos do pai contemplam o horizonte colorido...

O universo essencial do pai está cheio de pores do sol. Sem eles os seus olhos ficariam eternamente tristes...

Este poema é de Brecht:

Quando no quarto branco do hospital
acordei certa manhã
e ouvi o melro, compreendi bem.
Há algum tempo já não tinha medo da morte. Pois
nada me poderá faltar se eu mesmo faltar.
Então consegui me alegrar com todos os cantos dos
melros depois de mim...

A morte branca no quarto de hospital.

Fora, o melro canta.

Alegria pelos cantos que não ouvirei.

No universo essencial de Brecht o canto dos melros continuará, sem fim.

Pergunto se, depois que se navega,
a algum lugar, enfim, se chega...
O que será talvez até mais triste.
Nem barca nem gaivota: somente sobre-humanas
companhias...

Cecília Meireles sabia o que era essencial. No seu mundo, as barcas navegariam as águas e gaivotas planariam pelos ares...

O que é o essencial? Os filósofos antigos reduziam o essencial a quatro elementos fundamentais: a água, a terra, o ar, o fogo. Concordo com eles. Pensavam estar fazendo cosmologia, mas estavam fazendo poesia. Sabiam dos segredos da alma. Pois é disto que somos feitos. Posso imaginar um mundo sem as maravilhas da técnica, sem que eu sinta, por isto, nenhuma tristeza especial. Mas não posso pensar um mundo sem a chuva que cai, sem regatos cristalinos, sem o mar misterioso... Não posso imaginar um mundo sem o calor do Sol que agrada à pele e colore o poente, sem o fogo que ilumina e aquece... Não posso imaginar um mundo sem o vento onde navegam as nuvens, os pássaros e o cheiro das magnólias... Não posso imaginar um mundo sem a terra prenhe de vida onde as plantas mergulham suas raízes... São estes os amantes com que a vida faz amor e engravida, de onde brotam toda a exuberância e todo o mistério deste mundo, nosso lar. Não preciso de deuses mais belos que estes.

Ouço, pelo mundo inteiro, em meio ao barulho das dez mil coisas que fazem a nossa loucura, as vozes-poemas daqueles que percebem o essencial. Elas dizem uma coisa somente: "Este mundo maravilhoso precisa ser preservado". Mas ouço também a voz sombria dos que perguntam: "Conseguiremos?".

A ARTE DE VIAJAR

A *Odisseia*, de Homero, é uma das mais fascinantes aventuras jamais escritas. Ulisses, famoso herói grego, gozava do amor tranquilo por Penélope, sua mulher, e das alegrias com Telêmaco, seu filho recém-nascido. Ele era um homem feliz. Mas, repentinamente, ele foi arrancado de sua tranquilidade e levado a lutar na guerra de Troia. Por longos anos ele lutou, enfrentou a morte, teve saudades. Decorridos dez anos, a guerra chegou ao fim. Ele podia então – já estava envelhecido – tomar o seu navio e, com seus marinheiros, voltar para casa, que era a coisa que ele mais desejava. A *Odisseia* é o relato da viagem de Ulisses, rumo ao amor da mulher e às alegrias do filho. Mas aquilo que parecia ser uma viagem tranquila se revelou terrível, mais terrível, talvez, que a guerra: o mar estava cheio de enganos, armadilhas e perigos.

O fascínio da *Odisseia* se mede pelo fato de que eu consegui seduzir pela leitura cinco adolescentes que, por três dias, me perseguiram, implorando que eu a retomasse. (E alguns dizem que os jovens não gostam de leitura...)

A viagem de Ulisses é uma saga atemporal. Ela é uma metáfora da vida. Todos somos navegantes em busca de uma felicidade perdida. Somos navegantes.

Assim se sentia Cecília Meireles, navegando por mares desconhecidos: "Muitas velas, muitos remos, âncora é outro falar. Tempo que navegaremos não se pode calcular. Vimos as Plêiades. Vemos agora a Estrela Polar. Muitas velas, muitos remos: curta vida, longo mar". Assim se sentia Nietzsche, desafiando seus discípulos aos perigos do mar enfurecido: "Agora sereis navegadores, valentes e pacientes. O mar está em fúria; tudo está no mar. Assim é, velhos lobos do mar! Que foi feito da terra paterna? Nosso leme nos leva para a *terra dos nossos filhos*! Lá, nesse lugar, mais tempestuoso que o mar, a nossa nostalgia está em fúria". Assim também se sentia Antônio Machado, ferido pela dor dos caminhos: "*Caminante, no hay camino, se hace camino al andar*"; "*Amargo caminar, porque el camino pesa en el corazón! El viento helado, y la noche que llega, y la amargura de la distancia...*".

Os poetas sentem e sabem. A psicanálise explica. Somos viajantes mesmo quando não viajamos. Viajamos sonhando, sem sair do lugar. O sonho é a viagem daquele que quer ir mas não pode. Não pode ou por não ter barcos ou por não saber para onde ir. Nos seus lugares mais profundos, o corpo é um navegante. Mora ali um fogo que não se apaga – Freud deu a ele o nome de "princípio do prazer". Queremos navegar até o lugar (ou o tempo) onde encontraremos o prazer. Mas eu me sinto tentado, à semelhança de Octavio Paz, a falar em "dupla chama". Castiçal de duas velas. De um lado, a chama do prazer, vermelha. Do outro, a chama da alegria, azul. Acho que Freud não concordaria comigo – mas não tem importância. Na minha psicanálise estou sempre atento ao "princípio da alegria"... Para isso viajamos: para chegar ao prazer e à alegria. Disse-o Fernando Pessoa no seu poema "Eros e Psique": uma viagem louca para chegar ao lugar da beleza adormecida.

Toda viagem inclui duas partes. Primeiro, a escolha do lugar para onde se vai. Essa escolha, quem faz é o coração. Segundo, o preparo da viagem. Esse preparo quem faz é a razão. Por isso, disse Fernando Pessoa: "Navegar é preciso; viver não é preciso". A navegação se faz com barcos, velas, bússolas, mapas, dinheiro, malas, roupas, passagens, hotéis, carros: tudo isso se equaciona racionalmente, de forma precisa. Mas a vida, a escolha do destino – que coisa mais imprecisa... Não há razão que nos diga o que escolher: grandes cidades iluminadas, aldeolas perdidas nas montanhas, desertos, pirâmides, fiordes, montanhas geladas, rios, florestas, parques de diversão, *shoppings*, lugares sagrados, monumentos, restaurantes, museus: as possibilidades parecem não ter fim...

Assim, fomos viajar. O coração escolheu: atravessar a cordilheira dos Andes, ao sul do Chile, entre lagos e florestas. A razão fez os preparativos: separou o dinheiro, comprou as passagens, tirou as malas dos armários, escolheu as roupas. Acho que nunca tive experiência de beleza maior: os lagos se sucediam, verdes, azuis, entre altíssimos vulcões cobertos de neve. Dos barcos para as "jardineiras", montanha acima, estradas estreitas, serpenteando, árvores altíssimas, lembrei-me do relato de Neruda no seu livro *Confesso que vivi* – ele fez caminho parecido em lombo de cavalo, vagarosamente, o poeta fugindo dos fuzis (triste destino dos poetas!). Até que, ao final da travessia ("travessia", essa palavra que Guimarães Rosa tanto amava!), chegamos a Bariloche, outra exuberância de cores, lagos, florestas, montanhas, cheiros de pinheiro, o vento frio no rosto, os cenários que se perdiam no horizonte. Era prazer? Era. Mas era mais que prazer. Era alegria. A diferença? O prazer só existe no momento. Já a alegria, basta a lembrança para que ela volte. O prazer é único, não se repete. Aquele que foi já foi. Outro será outro. Mas a alegria se repete sempre. Basta lembrar.

Andando pelas ruas de Bariloche fiquei conhecendo um casal de brasileiros. Estavam lá com os seus filhos. Só fui reencontrá-los mais tarde, em Buenos Aires, numa daquelas ruas onde os turistas vão fazer compras. Sorrimos e nos cumprimentamos. E ele se apressou a falar: "Finalmente estamos longe dos Andes e de Bariloche. Montanhas, vulcões, lagos, matas! Nada para fazer! Só ver! Nós estávamos ficando doidos! Felizmente estamos aqui. Aqui há *videogames*. Nossos filhos estão felizes...". Ele falava como se fosse óbvio, como se eu estivesse sentindo o mesmo que ele, como se nós fôssemos iguais. Senti as palavras dele como uma agressão. Ele dizia que o que eu achava maravilhoso era horrível e o que eu achava horrível era maravilhoso. Primeiro foi o choque, estupefação pura. Depois, indignação. Finalmente, ira. "O senhor escolheu a viagem errada", eu lhe disse secamente. "Deveria ter ido para Las Vegas!" E nos separamos.

Eles prepararam a primeira parte da viagem direitinho: consultaram folhetos de turismo, trocaram os dólares, puseram as roupas nas malas, as passagens no bolso, câmara fotográfica a tiracolo. Mas os olhos que eles usavam, embora fossem perfeitos (nenhum deles usava óculos), não sabiam brincar com a natureza. Não haviam sido educados para isso. Tinham olhos de visão perfeita e eram cegos. Analfabetos no olhar.

Bem disse Alberto Caeiro que "não basta abrir a janela / para ver os campos e o rio. / Não é bastante não ser cego / Para ver as árvores e as flores...". De que me vale preparar a viagem com precisão se, ao chegar lá, eu só vejo o banal?

Por isso que Nietzsche dizia que a primeira tarefa da educação é ensinar a ver. Quem sabe ver está sempre viajando – mesmo que não saia de sua casa. Mas quem não sabe ver não viaja mesmo que vá para a China.

Suspeito que nossas escolas ensinem com muita precisão a ciência de comprar as passagens e arrumar as malas. Mas tenho sérias dúvidas de que elas ensinem os alunos a ver com outros olhos.

DA TRAGÉDIA E DA BELEZA

Toda pérola esconde uma dor no fundo da sua beleza. Ostra feliz não faz pérola. Ostra que faz uma pérola é ostra que sofre. Porque a pérola, lisa esfera sem arestas, a ostra a produz para deixar de sofrer, para se livrar da dor das arestas de um grão de areia que se aninhou dentro dela. Isso é verdade para as ostras. E é verdade para os seres humanos. No seu ensaio *O nascimento da tragédia grega a partir do espírito da música*, Nietzsche observou que os gregos, por oposição aos cristãos, levavam a tragédia a sério. Tragédia era tragédia. Não existia para eles, como existia para os cristãos, um céu onde a tragédia seria transformada em comédia. E ele se perguntou das razões por que os gregos, sendo dominados por esse sentimento trágico da vida, não sucumbiram ao pessimismo. A resposta que ele encontrou foi a mesma da ostra que faz uma pérola: eles não se entregaram ao pessimismo porque foram capazes de transformar a tragédia em beleza. A beleza não elimina a tragédia, mas a torna suportável. A felicidade é um dom que deve ser simplesmente gozado. Ela se basta. Ela não cria. Não produz pérolas. São os que sofrem que produzem a beleza, para parar de sofrer. Esses são os artistas: Beethoven – como é possível que um homem completamente surdo, no fim de sua vida, tenha produzido uma obra que canta a alegria? –, Van Gogh, Cecília Meireles, Fernando Pessoa...

VARIAÇÃO SOBRE UM TEMA ANTIGO

Era uma vez um pobre pescador e sua mulher. Eram pobres, muito pobres. Moravam numa choupana à beira-mar, num lugar solitário. Viviam dos poucos peixes que ele pescava. Poucos porque, de tão pobre que era, ele não possuía um barco: não podia aventurar-se ao mar alto, onde estão os grandes cardumes. Tinha de se contentar com os peixes que apanhava com os anzóis ou com as redes lançadas no raso. Sua choupana, de pau a pique, era coberta com folhas de palmeira. Quando chovia, a água caía dentro da casa e os dois tinham de ficar encolhidos, agachados, num canto. Não tinham razões para ser felizes. Mas, a despeito de tudo, tinham momentos de felicidade. Era quando começavam a falar sobre os seus sonhos. Algum dia ele teria sorte, teria uma grande pescaria, ou encontraria um tesouro – e então teriam uma casinha branca com janelas azuis, jardim na frente, um canário na gaiola e galinhas no quintal. Mas eles sabiam que a casinha branca não passava de um sonho. Por vezes a felicidade se faz com sonhos impossíveis. E assim, sonhando com a impossível casinha branca, eles faziam amor e dormiam abraçados.

Era um dia comum como todos os outros. O pescador saiu muito cedo com seus anzóis para pescar. O mar estava tranquilo, muito azul. O céu limpo, a brisa fresca. De cima de uma pedra lançou o seu anzol. Sentiu o tranco forte, peixe preso no anzol. Lutou. Puxou. Tirou o peixe. Escamas de prata com barbatanas de ouro. Foi então que o espanto aconteceu. O peixe falou: "Pescador, eu sou um peixe mágico. Devolva-me ao mar que realizarei o seu maior desejo...". O pescador resolveu arriscar. Um peixe que fala deve ser digno de confiança. "Eu e minha mulher temos um sonho", disse o pescador. "Sonhamos com uma casinha branca com janelas azuis, jardim na frente, galinhas no quintal, canário na gaiola. E mais, roupa nova para minha mulher..." Ditas essas palavras ele lançou o peixe de novo ao mar e voltou para casa, para ver se o prometido acontecera. De longe, no lugar da choupana antiga, ele viu uma casinha branca e, à frente dela, a sua mulher com um vestido novo – tão linda! Começou a correr, e enquanto corria pensava: "Finalmente nosso sonho vai se realizar! Finalmente vamos ser felizes!".

Foi um abraço de felicidade. A felicidade dela era completa. Mas não estava entendendo nada. Queria explicações. E ele então lhe contou do peixe mágico. "Ele disse que eu poderia pedir o que quisesse." Houve um momento de silêncio. O rosto da mulher se alterou. Cessou o riso. Ficou sério. Ela olhou para o marido e, pela primeira vez, ele lhe pareceu imensamente tolo: "Você poderia ter pedido o que quisesses? E por que não pediu uma casa maior, mais bonita, com varanda, três quartos e dois banheiros? Volte. Chame o peixe. Diga-lhe que você mudou de ideia". O marido sentiu a repreensão, sentiu-se envergonhado. Obedeceu. Voltou. O mar já não estava tão calmo, tão azul. Soprava um vento mais forte. Gritou: "Peixe encantado, de escamas de prata e barbatanas de ouro!". O peixe apareceu e lhe perguntou: "O que é que você deseja?". O pescador respondeu: "Minha mulher me disse que eu deveria ter pedido uma casa maior, com varanda, três quartos e dois banheiros!". O peixe lhe disse: "Pode ir. O desejo dela já foi atendido". De longe o pescador viu a casa nova, grande, do jeito mesmo como a mulher pedira. "Agora ela está feliz", ele pensou. Mas ao chegar à casa o que ele viu não foi um rosto sorridente. Foi um rosto transtornado. "Tolo, mil vezes tolo! De que me vale esta casa neste lugar ermo, onde ninguém a vê? O que eu desejo é um palacete no bairro elegante de uma cidade, dois andares, banheiros de mármore, escadarias, fontes, piscina. Volte! Diga ao peixe desse novo desejo!"

O pescador, obediente, voltou. O mar estava cinzento e agitado. Gritou: "Peixe encantado, de escamas de prata e barbatanas de ouro!". O peixe apareceu e lhe perguntou: "O que é que você deseja?". O pescador respondeu: "Minha mulher me disse que eu deveria ter pedido um palacete num bairro rico da cidade...". Antes que ele terminasse, o peixe disse: "Pode voltar. O desejo dela já está satisfeito". Depois de muito andar – agora ele já não morava perto da praia –, ele chegou à cidade e viu, num bairro rico, um palacete tal e qual aquele que sua mulher desejava. "Que bom", ele pensou. "Agora, com seu desejo satisfeito, ela deve estar feliz, mexendo nas coisas da casa." Mas ela não estava mexendo nas coisas da casa. Estava na janela. Olhava o palacete vizinho, muito maior e mais bonito que o seu, do homem mais rico da cidade. O seu rosto estava transtornado de raiva, os seus olhos injetados de inveja.

"Homem, o peixe disse que você poderia pedir o que quisesse. Volte. Diga-lhe que eu desejo um palácio de rainha, com salões de baile, salões de banquete, parques, lagos, cavalariças, criados, capela."

O marido obedeceu. Voltou. O vento soprava sinistro sobre o mar cor de chumbo. "Peixe encantado, de escamas de prata e barbatanas de ouro!" O peixe apareceu e lhe perguntou: "O que é que você deseja?". O pescador respondeu: "Minha mulher me disse que eu deveria ter pedido um palácio com salões de baile, de banquete, parques, lagos...". "Volte!", disse o peixe antes que ele terminasse. "O desejo de sua mulher já está satisfeito."

Era magnífico o palácio. Mais bonito do que tudo aquilo que ele jamais imaginara. Torres, bosques, gramados, jardins, lagos, fontes, criados, cavalos, cães de raça, salões ricamente decorados... Ele pensou: "Agora ela tem de estar satisfeita. Ela não pode pedir nada mais rico".

O céu estava coberto de nuvens e chovia. A mulher, de uma das janelas, observava o reino vizinho, ao longe. O céu estava azul. Fazia sol. Ao longe se viam as pessoas alegremente passeando pelo campo.

"De que me serve este palácio se não posso gozá-lo por causa da chuva? Volte, diga ao peixe que eu quero ter o poder dos deuses para decretar que haja sol ou haja chuva!"

O homem, amedrontado, voltou. O mar estava furioso. Suas ondas se espatifavam no rochedo. "Peixe encantado, de escamas de prata e barbatanas de ouro!" – ele gritou. O peixe apareceu. "Que é que sua mulher deseja?", ele perguntou. O pescador respondeu: "Ela deseja ter o poder para decretar que haja sol ou haja chuva!".

O peixe falou: "Vou lhes dar uma coisa melhor: vou lhes dar a felicidade!". O homem riu de alegria. "É isso que eu mais quero", ele disse. "Volte", disse o peixe. "Vá ao lugar da sua primeira casa. Lá você encontrará a felicidade..." E, com essas palavras, desapareceu. O pescador voltou. De longe viu a sua casinha antiga, a mesma casinha. Viu sua mulher, com o mesmo vestido velho. Ela colhia verduras na horta. Quando ela o viu, veio correndo ao seu encontro. "Que bom que você voltou mais cedo", ela disse com um sorriso. "Sabe? Vou fazer uma salada e sopa de ostras, daquelas que você gosta. E enquanto comemos, vamos falar sobre a casinha branca com janelas azuis..." Ditas essas palavras ela segurou a mão do pescador enquanto caminhavam, e eles foram felizes para sempre.

❈

A TERNURA

... e repentinamente eu acordei, fora de hora, sem razão alguma. Olhei para o despertador: 4 horas da madrugada. O corpo dizia que eu deveria dormir um pouco mais, para não ficar sonolento durante o dia. Mas ideias na minha cabeça exigiam que eu brincasse com elas. Tentei fazer meditação oriental, esvaziar a cabeça de pensamentos. Segundo o taoismo despertamos porque há pensamentos em nossa mente que exigem ser pensados. Se esvaziarmos a cabeça de tais pensamentos voltaremos a dormir.

Para parar de pensar basta seguir o que diz este verso: "O barulho da água diz exatamente o que estou pensando". Se o que penso é o barulho da água, então não é o meu pensamento; é o barulho da água. O barulho da água, sem pensamentos, faz dormir. Barulho de água não havia. Mas havia o tique-taque do relógio. Tentei pôr em prática a técnica taoista. Repeti: "O tique-taque do relógio diz exatamente o que estou pensando". Inutilmente. Havia uma imagem que queria brincar comigo – fora ela que me acordara. E ela era tão bonita que não resisti...

Uma tela de um pintor flamengo, especialista na sutileza do jogo de luz e sombra. Uma mulher, mergulhada no escuro do cômodo, segura uma vela com sua mão esquerda. Seu rosto brilha, iluminado pela luz quente da chama. Sua mão direita, que a luz da vela tornou quase transparente, protege a chama que treme e inclina-se, soprada por algum vento. Estaria ela abrindo a porta para alguém, àquela hora da noite? Isso explicaria tanto a inclinação da chama ao vento quanto o seu sorriso. Um sorriso, a seu modo, é também uma chama que treme ao sopro de algum vento.

Essa imagem me faz sentir ternura. Ternura é sentimento frágil, manso. Como a chama. Ela precisa da fragilidade para sobreviver. O próprio nome diz isso. Em inglês é *tenderness*, derivado de *tender*, "macio". O terno é tenro: jamais arranha.

Mas a chama, frágil, pode provocar incêndios. Tomas, o médico de *A insustentável leveza do ser*, era homem de muitas amantes, que ele sistematicamente devolvia às suas casas, ao final da noite, depois do prazer. Com Tereza foi diferente. Ela chegara inesperadamente. Não tinha onde dormir. Foi para o apartamento de Tomas. Ardia em febre. Ele não tinha como levá-la de volta a casa, como fazia com as outras. Ajoelhado à sua cabeceira, ocorrera-lhe a ideia de que ela viera para ele numa cesta sobre as águas. Quem chega numa cesta, sobre as águas, só pode ser um nenezinho... Por causa dessa imagem terna ele se apaixonou por ela. Ah! Que belo quadro Tomas poderia ter pintado se, em vez de médico, ele fosse um pintor.

A ternura distingue-se de todos os outros sentimentos amorosos que pedem o abraço, o beijo, a brincadeira... Qualquer um desses sentimentos manda que eu entre em cena, que eu faça alguma coisa com a pessoa amada. A ternura, ao contrário, pede que eu fique de fora. Minha entrada na cena iria estragá-la, perturbar a mansidão do quadro.

Tereza, adormecida, provocava ternura. Todos os seres adormecidos, até os mais selvagens, ficam ternos quando dormem. Transformam-se em crianças. Talvez, por isso, a mitologia cristã tenha escolhido como imagem suprema da divindade um nenezinho adormecido. Quem não gostaria de ter no colo um Deus assim?

Uma criança dormindo pede que sejamos apenas olhos. Qualquer passo, qualquer palavra, qualquer toque poderá acordá-la. Mas o sorriso dos olhos é silencioso, deixa a cena intocada. Sim, as mãos tocam o rosto... Mas como são diferentes as mãos ternas das mãos que desejam a posse. A ternura não deseja nada. Ela só quer contemplar a cena. O beijo terno apenas encosta os lábios... As mãos ternas são extensões do olhar. Tocam para se certificar de que os olhos não mentem. Vinicius o disse de um jeito bonito: "Resta essa mão que tateia antes de ter, esse medo de ferir tocando, essa forte mão de homem cheia de mansidão...".

Os poetas, não sabendo manejar os pincéis, usam as palavras para pintar. Lembrei-me do poema de Cassiano Ricardo, "Você e o seu retrato", em tudo semelhante à tela do mestre flamengo.

O olhar terno deseja ser pintor, fotógrafo. A pintura e a fotografia eternizam a cena, cristalizam o efêmero. São exorcismos mágicos contra o tempo. O olhar terno deseja que aquele momento seja eterno. Daí o seu cuidado, a voz que fala baixo, a mão que tateia, o mover-se lento: para que o encanto da imagem não se quebre...

Foram esses os pensamentos que brincaram comigo, provocados pela mulher com a vela. Satisfeitos, deixaram-me em paz. Foram-se. Senti-me sonolento de novo. E, por um breve momento, entre a vigília e o sono, tive a impressão de que o vento soprara forte e apagara a vela. Ou, talvez, que a mulher, ela mesma, tivesse apagado a vela. Quem tem a luz do amor não precisa da luz da vela. Mergulhei, então, de novo, no escuro do esquecimento...

❋

SOBRE O OTIMISMO E A ESPERANÇA

Era o ano de 1898. Todos falavam sobre o novo século que se aproximava, o século XX. Havia razões de sobra para otimismo. A humanidade estava prestes a ver realizada uma profecia feita 200 anos antes:

Qualquer que tenha sido o início desse mundo, é certo que o fim será glorioso e paradisíaco... Os homens farão com que sua situação nesse mundo seja cada vez mais confortável; prolongarão a sua existência e ficarão cada vez mais felizes.

Não havia nada de assombroso nessa profecia. Ela simplesmente enunciava aquilo em que todos acreditavam. Acreditavam que a história da humanidade era uma longa epopeia que se iniciara havia milhões de anos. Seu começo fora insignificante. Insignificante é uma semente: ninguém suspeita a beleza e o tamanho da árvore que ela contém. Menor que uma ameba. Mas o tempo fez o seu trabalho. Novas formas vivas foram nascendo umas das outras, dramaticamente, umas desaparecendo, outras sobrevivendo, até que, finalmente, ao final desse processo tortuoso, um fruto maravilhoso: um homem belo, bom e inteligente. A semente se transformara em árvore de linda copa verde coberta de flores e frutos. Muitos frutos já haviam amadurecido e os homens se haviam deliciado com o seu sabor. Mas a grande colheita estava por vir. A grande colheita seria no século XX.

Por ocasião do septuagésimo aniversário do poeta Walt Whitman, Mark Twain lhe escreveu uma carta maravilhosa, o maior documento de otimismo que conheço:

> Tendes vivido os setenta anos que são exatamente os maiores da história universal e os mais ricos em benefícios e progresso para os povos. Esses setenta anos têm feito muito mais no sentido de aumentar a distância entre o homem e os outros animais do que o conseguiu qualquer dos cinco séculos que os precederam. Quantas coisas tendes visto nascer! (...) Demorai, porém, um pouco mais, porque o mais grandioso ainda está por vir. Esperai trinta anos, e então olhai para a terra com olhos de ver! Vereis maravilhas sobre maravilhas somadas àquelas a cujo nascimento vindes assistindo; e, em volta delas, claramente visto, havereis de ver-lhes o formidável Resultado – o homem quase que atingindo enfim seu total desenvolvimento, e continuando ainda a crescer, visivelmente crescendo sob vossos olhos... Esperai até verdes surgir essa grande figura, e surpreendei o brilho remoto do sol sobre seu lábaro; então podereis partir satisfeito, ciente de terdes visto aquele para quem foi feita a terra, e com a certeza de que ele há de proclamar que o trigo humano é mais importante que o humano joio, e passará a organizar os valores humanos nessa base.

Essa ideia grandiosa de progresso aparecera, talvez pela primeira vez e de uma forma religiosa, no pensamento de Joaquim de Fiori, um monge herege, que morreu por volta do ano 1200. A sua heresia estava nisto: a teologia da Idade Média via o universo à semelhança da Catedral Gótica – uma hierarquia vertical de beleza estrutural incomparável, saída das mãos de Deus pronta, imóvel no tempo. Nela os movimentos eram todos verticais. Havia movimentos ascendentes, que levavam para o céu, e os movimentos descendentes, na direção do inferno. O universo era apenas um cenário físico para o grande drama espiritual da salvação. O destino dos homens, a sua salvação, estava acima, no alto, lugar da morada de Deus. Joaquim de Fiori pintou um mundo novo. O paraíso não está no alto. Ele se encontra no futuro. O espaço se transforma pelo poder do tempo. É como uma mulher em dores de parto. A história é o movimento do universo engravidado por Deus. Primeiro, o Pai. Depois, o Filho. Finalmente, o Espírito Santo. Ao final, o parto. O Paraíso nasceria.

O universo medieval-Catedral Gótica desmoronou. Também o universo de Joaquim de Fiori, que se movia pelo poder de Deus. Os cientistas examinaram os céus e o encontraram cheio de estrelas e galáxias maravilhosas – mas nenhum sinal das moradas de Deus. Deus foi despejado de sua mansão nas alturas. Mas, sem o perceber, os homens o trouxeram para a terra e o fizeram morar num outro lugar, com um outro nome. Colocaram-no morando bem dentro da história e lhe deram o nome de Razão. A Razão é o poder divino que, dentro da história, e a despeito dos erros e descaminhos dos homens, faz com que ela atinja um final paradisíaco. Como não ser otimista vivendo num universo assim?

O marxismo foi a maior expressão dessa religião sem Deus. Buscou dar bases científicas ao otimismo. Daí o seu fascínio. Quem não deseja ter certezas felizes sobre o futuro? Eu gostaria de ter certeza de que minhas netas irão viver num mundo paradisíaco. Pois é precisamente isso que o marxismo proclamou: por meio de um processo tortuoso e sofrido de lutas, semelhante àquele descrito por Darwin, os homens haveriam de chegar a um mundo sem conflitos em que os contraditórios seriam reconciliados e seria possível, então, viver a fraternidade e a justiça e os homens poderiam, finalmente, encontrar a felicidade; uma versão secular das visões messiânicas do profeta Isaías: o leão comendo palha com o boi, os meninos brincando com as serpentes venenosas.

Ao fim do século XIX as conquistas maravilhosas da ciência e da tecnologia, a racionalização da política através dos processos democráticos, o desenvolvimento da educação – tudo isso eram evidências que tornavam inevitável um otimismo sem limites. É o mundo maravilhosamente descrito pelos pintores impressionistas Monet e Renoir: a inocência, a alegria, os reflexos coloridos da natureza, a leveza, a despreocupação. As telas de Renoir e Monet são manifestações dessa alma feliz.

Mas essa viagem maravilhosa na direção da Cidade Santa, fulgurante no alto da montanha, numa curva do caminho, revelou um outro destino: a barbárie. O homem se tornou possuidor de um conhecimento científico infinitamente superior a todo o conhecimento acumulado pelo passado. Revelou-se a fragilidade da educação: os saberes e a ciência não produzem nem sabedoria nem bondade. Foi esse homem educado e conhecedor da ciência que produziu duas guerras mundiais. Aconteceram os campos de extermínio do nazismo e do comunismo, a criação de armas monstruosas e mortais, uma riqueza jamais sonhada ao lado de milhões morrendo de fome, matanças, a destruição da natureza e das fontes de vida, as cidades infernais, a violência, o terrorismo armado com armas produzidas e vendidas por empresas geradoras de progresso.

E repentinamente, o maravilhoso Resultado anunciado por Mark Twain aparece de forma monstruosa na pintura de Dalí e de Picasso: o lado demoníaco do homem, anunciado pela psicanálise.

Hoje não há razões para otimismo. Hoje só é possível ter esperança. Esperança é o oposto do otimismo. "Otimismo é quando, sendo primavera do lado de fora, nasce a primavera do lado de dentro. Esperança é quando, sendo seca absoluta do lado de fora, continuam as fontes a borbulhar dentro do coração." Camus sabia o que era esperança. Suas palavras: "E no meio do inverno eu descobri que dentro de mim havia um verão invencível...". Otimismo é alegria "por causa de": coisa humana, natural. Esperança é alegria "a despeito de": coisa divina. O otimismo tem suas raízes no tempo. A esperança tem suas raízes na eternidade. O otimismo se alimenta de grandes coisas. Sem elas, ele morre. A esperança se alimenta de pequenas coisas. Nas pequenas coisas ela floresce. Basta-lhe um morango à beira do abismo. Hoje, é tudo o que temos: morangos à beira do abismo, alegria sem razões. A possibilidade da esperança...

O BENEFÍCIO DA DÚVIDA

Cliquei o botão do controle remoto da televisão e me vi dentro de um enorme templo, completamente lotado. O pregador dizia aos fiéis: "A dúvida é a principal arma do diabo". Ele não teve coragem de dizer tudo o que essa afirmação piedosa contém. Se ele está no púlpito, lugar sagrado, deve ser bispo ou missionário. Sendo bispo ou missionário, tem acesso privilegiado à Jesus: o Peixe Dourado lhe revelou pessoalmente os mistérios do Mar... Fala diariamente com Jesus. Segue-se que aquilo que ele fala são as palavras de Jesus. Assim, se alguém tem dúvidas sobre o que ele diz, está duvidando de Jesus. Conclusão: quem duvida do que ele diz está enredado nas artimanhas do diabo... Penso o contrário: que as convicções são as principais armas do diabo. As maiores atrocidades da história da humanidade, religiosas e políticas, foram cometidas por pessoas que não tinham dúvidas sobre a verdade dos seus pensamentos. As pessoas que duvidam, ao contrário, são tolerantes. Sabem que o que pensam não é a verdade. Seus pensamentos não passam de "palpites". Por isso ouvem o que os outros têm a dizer, pois pode ser que a verdade esteja com eles...

FAZER NADA

A manhã está do jeito como eu gosto. Céu azul, ventinho frio. Logo bem cedinho convidou-me a fazer nada. Dar uma caminhada – não por razões de saúde, mas por puro prazer. Os ipês-rosas floriram antes do tempo – você já notou? E não existe coisa mais linda que uma copa de ipê contra o céu azul. Cessam todos os pensamentos ansiosos e a gente fica possuído por pura gratidão de que a vida seja tão generosa em coisas belas. Ali, debaixo do ipê, não há nada que eu possa fazer. Não há nada que eu deva fazer. Qualquer ação minha seria supérflua. Pois como poderia eu melhorar o que já é perfeito?

Lembro-me das minhas primeiras lições de filosofia, de como eu me ri quando li que, para o taoismo, a felicidade suprema é aquilo a que dão o nome de *Wu-Wei*, fazer nada. Achei que eram doidos. Porque, naqueles tempos, eu era um ser ético que julgava que a ação era a coisa mais importante. Ainda não havia aprendido as lições do Paraíso – que quando estamos diante da beleza só nos resta... fazer nada, gozar a felicidade que nos é oferecida.

Queria perguntar aos ipês as razões do seu equívoco. Será que, por acaso, não possuíam uma agenda? Pois, se possuíssem, saberiam que floração de ipê está agendada somente para o mês de julho. Qualquer um que preste atenção nos tempos da natureza sabe disso.

Mas, antes que fizesse minha pergunta tola, ouvi, dentro de mim, a resposta que me dariam. Responderiam citando o místico medieval Angelus Silesius, que dizia que as flores não têm porquês; florescem porque florescem. Pensei que seria bom se também nós fôssemos como as plantas, que nossas ações fossem um puro transbordar de vitalidade, uma pura explosão de uma beleza que cresceu por dentro e não mais pode ser guardada. Sem razões, por puro prazer.

Mas aí olho para a mesa e um livro de capa verde me lembra que não vivo no Paraíso, que não tenho o direito de viver pelo prazer. Há deveres que me esperam. O que todos pedem de mim não é que eu floresça como os ipês, mas que eu cumpra os meus deveres – muito embora eles me levem para bem longe da minha felicidade. Pois dever é isto: aquela voz que grita mais alto que minhas flores não nascidas – os meus desejos – e me obriga a fazer o que não quero. Pois, se eu quisesse, ela não precisaria gritar. Eu faria por puro prazer. E se grita, para me obrigar à obediência, é porque o que o dever ordena não é aquilo que a alma pede. Daí a sabedoria de dois versos de Fernando Pessoa. Primeiro, aquele em que diz: "Ah, a frescura na face de não cumprir um dever!". Desavergonhado, irresponsável, corruptor da juventude, deveria ser obrigado a tomar cicuta, como Sócrates! Não é nada disso. Ele só diz a verdade: só podemos ser felizes quando somos como os ipês; quando florescemos porque florescemos; quando ninguém nos ordena o que fazer, e o que fazemos é só um filho do prazer. E o outro verso, aquele em que diz que somos o intervalo entre o nosso desejo e aquilo que o desejo dos outros fez de nós.

No meu livro de capa verde estão escritos os desejos dos outros. Ele se chama agenda. Os meus desejos, não é preciso que ninguém me lembre deles. Não precisam ser escritos. Sei-os (isto mesmo, seios!) de cor. De cor quer dizer *no coração*.

Aquilo que está escrito no coração não necessita de agendas porque a gente não esquece. O que a memória ama fica eterno. Se preciso de agenda é porque não está no coração. Não é o meu desejo. É o desejo de um outro. Minha agenda me diz que devo deixar minha conversa com os ipês para depois, pois há deveres a serem cumpridos. E que devo me lembrar da primeira lição de moral ministrada a qualquer criança: primeiro a obrigação, depois a devoção; primeiro a agenda, depois o prazer; primeiro o desejo dos outros, depois o desejo da gente. Não é essa a base de toda vida social? Uma pessoa boa, responsável, não é justamente aquela que se esquece dos seus desejos e obedece aos desejos de um outro – não importando que o outro more dentro dela mesma?

Ah! Muitas pessoas não têm uma alma. O que elas têm, no seu lugar, é uma agenda. Por isso serão incapazes de entender o que estou dizendo: em suas almas-agendas já não há lugar para o desejo. No lugar dos ipês existe apenas um imenso vazio. Há um vazio que é bom: vazio da fome (que faz lugar para o desejo de comer); vazio das mãos em concha (que faz lugar para a água que cai da bica); vazio dos braços (que faz lugar para o abraço); vazio da saudade (que faz lugar para a alegria do retorno).

Mas há um vazio ruim que não faz lugar para coisa alguma, vazio-deserto, ermo onde moram os demônios. E esse vazio, túmulo do desejo, precisa ser enchido de qualquer forma. Pois, se não o for, ali virá morar a ansiedade.

A ansiedade é o buraco deixado pelo desejo esquecido, o buraco de um coração que não mais existe: grito desesperado pedindo que desejo e coração voltem, para que se possa de novo gozar a beleza da copa do ipê contra o céu azul. Tão terrível é esse vazio que vários rituais foram criados para exorcizar os demônios que moram nele. Um deles é a minha agenda – e a agenda de todo mundo. Quando a ansiedade chega, basta ler as ordens que estão escritas, o buraco se enche de comandos e se fica com a ilusão de que tudo está bem. E não é por isso que se trabalha tanto – da vassoura das donas de casa à bolsa de valores dos empresários? São todos iguais: lutam contra o mesmo medo do vazio.

> E vós, para quem a vida é trabalho e inquietação furiosos – não estais por demais cansados de viver? Não estais prontos para a pregação da morte? Todos vós para quem o trabalho furioso é coisa querida – e também tudo o que seja rápido, novo e diferente –, vós achais por demais pesado suportar a vós mesmos; vossa atividade é uma fuga, um desejo de vos esquecerdes de vós mesmos. Não tendes conteúdo suficiente em vós mesmos para esperar – e nem mesmo para o ócio. (Nietzsche)

Por isso ligamos as televisões, para encher o vazio; por isso passamos os domingos lendo os jornais (mesmo enquanto nossos filhos brincam no balanço do parquinho), para encher o vazio; por isso não suportamos a ideia de um fim de semana ocioso, sem fazer nada (já na segunda-feira se pergunta: "E no próximo fim de semana, que é que vamos fazer?"); por isso até a praia se enche de atividade frenética, pois temos medo dos pensamentos que poderiam nos visitar na calma contemplação da eternidade do mar, que não se cansa nunca de fazer a mesma coisa.

Certos estão os taoistas: a felicidade suprema é o *Wu-Wei*, fazer nada. Porque só podem se entregar às delícias da contemplação aqueles que fizeram as pazes com a vida e não se esqueceram dos seus próprios desejos.

※

DEPRESSÃO

Eu viajava sozinho pelas estradas do sul de Minas Gerais. Gosto de viajar sozinho. É uma solidão abençoada. O pensamento voa, vagabundo. E quando ele voa vagabundo aves selvagens se aproximam. Ao contrário, quando ele marcha, metódico e prático, ao ritmo das obrigações do cotidiano, a cabeça vira um galinheiro... Pois assim eu ia, minha cabeça desdobrada em duas: com uma eu guiava, com a outra eu voava...

Tudo estava verde – com exceção das quaresmeiras, roxas. O ar, transparente e puro, lavado pelas chuvas, estava leve e luminoso. Mas eu estava triste. De fato, uma das minhas cabeças voava: mas a terra por onde ela voava estava coberta com uma neblina cinzenta. Eu gosto de neblinas. São misteriosas. Especialmente quando o Sol as penetra sem ser capaz de atravessá-las. Então elas ficam luminosas. Mas aquela neblina era triste. Eu me sentia deprimido. Depressão é uma neblina cinzenta que encobre tudo. Só a gente vê. Os outros argumentam ao contrário, apontam Sol, cores e belezas. Inutilmente. O mundo deles não é o mundo da gente. O mundo da gente está coberto pela neblina triste que sai de um lugar secreto da alma. Tudo fica sem sentido. A chegada da manhã é um sofrimento: como o dia é comprido! O corpo se arrasta, pedindo que as horas passem, que chegue logo a hora de dormir. A depressão é um permanente desejo de dormir. Pena que todo adormecer seja seguido por um acordar. O deprimido deseja não acordar.

Drummond descreveu a depressão num poema terrível:

Chega um tempo em que não se diz mais: meu Deus.
Tempo de absoluta depuração.
Tempo em que não se diz mais: meu amor.
Porque o amor resultou inútil.
E os olhos não choram.
E o coração está seco
E as mãos tecem apenas o rude trabalho.
Em vão mulheres batem à porta, não abrirás.
Ficaste sozinho, a luz apagou-se
mas na sombra teus olhos resplandecem enormes.
És todo certeza, já não sabes sofrer.
E nada esperas de teus amigos.
...
Chegou um tempo em que não adianta morrer.
Chegou um tempo em que a vida é uma ordem...
A vida apenas, sem mistificação.

Eu não estava desse jeito, era só uma pitada de tristeza, sem nenhuma razão. Escolhi uma fita. Músicas antigas, sem nenhuma dignidade especial: a abertura de *O poeta e o camponês*, de von Suppé, a *Barcarola*, de Offenbach, entre outras. Pus uma fita para tocar. A abertura de *O poeta e o camponês* começou depressiva também, um solo lânguido de violoncelo, acho que era a fala do poeta, todo poeta é triste, a minha depressão pensou encontrar uma aliada, deixou-a entrar, deixou-se embalar. Esperta, a abertura: conhecia psicologia. De repente, sem aviso prévio, veio uma rasteira, o camponês entrou em cena fazendo um enorme barulhão, a orquestra ficou furiosa, a depressão foi pega de surpresa, não teve tempo de se defender e a alma foi invadida por uma maré de agitação. Aí a depressão e a música começaram uma briga. Como a música já havia entrado, ela foi mais forte. Foi enfiando alegria dentro de mim, quase que à força. Fui ficando duro: a depressão produz uma gelatinização da alma e do corpo. Todo depressivo é mole. A minha alma parou de produzir neblina e, de repente, eu senti que meu corpo estava dançando com a música. Ri. E, como sempre acontece comigo, o riso pôs meu pensador para funcionar. (Esse hábito estranho, de pensar a partir do riso, me valeu ser excluído da companhia dos cientistas da área que, à semelhança do irmão Pedro, de *O nome da Rosa*, acham que o riso é incompatível com a gravidade científica.)

Pensei. E, quando estou alegre, meu pensamento se põe a dar saltos.

Pensei primeiro nos poderes mágicos da música. Sem dizer uma única palavra, usando uma linguagem universalmente compreendida... Lá vem o primeiro pulo: penso que a Babel, confusão de línguas, começou quando o Consciente assumiu totalitariamente o controle do corpo. Já o Pentecostes, que é o avesso da Babel, todos se entendendo, começou quando o Inconsciente começou a fazer ouvir sua linguagem, que é música e poesia. Estou ouvindo a *Quinta sinfonia* de Felix (feliz!) Mendelssohn. Neste preciso momento começou o "coral": as cordas tocam a melodia do "Castelo Forte" – hino da Reforma Protestante. Tocam os tímpanos. Fico todo arrepiado. Sem uma única palavra, eu e Mendelssohn nos entendemos. Meu corpo está possuído. Não há lugar para meus pequenos sentimentos. Sou invadido por sentimentos enormes, que não são só meus. São de milhares. Não estou sozinho. Sou parte de uma sinfonia. Pulo de novo. Pego o Bernardo Soares, *Livro do desassossego*, página 156: "Minha alma é uma orquestra. Só me conheço como sinfonia". Ah! Agora tudo ficou claro: a alma é sinfonia, música. Bem disse o Álvaro de Campos que, quando o poeta escreve seus poemas, nos intervalos silenciosos que há entre as palavras se ouve uma melodia que faz chorar. A verdade da alma é música. As palavras são só um suporte. Elas existem para produzir o espaço vazio e silencioso de que a música necessita para existir. Sabem disso os amantes: não são as palavras que contam. É a música.

Outro pulo. Lembrei-me de quando tive hérnia de disco. Doía demais. O Elson Montagno, neuro-amigo, me emprestou uma maquineta de tirar dor. Explicou: "A dor não existe, fisiológica, cientificamente. Cientificamente só existe uma corrente elétrica de uma certa frequência que o cérebro interpreta como dor. Se a gente conseguir anular a tal corrente, o cérebro não recebe a mensagem. Essa maquineta é para produzir uma corrente elétrica que, encaixada na sua, vai anulá-la, o negativo anula o positivo". Aí eu pensei se não seria possível imaginar que era mais ou menos assim que a música funcionava. O Inconsciente, mansão de muitas moradas, não é uma única sinfonia. É antes um tocador de CDs, os mais variados. Muitos são tristes, a "Marcha fúnebre" da sonata de Chopin, o primeiro movimento da *Sonata ao luar*, de Beethoven, a "Ária", da *Bachianas brasileiras n. 5*, o "tristeza não tem fim, felicidade sim...", o "Caminito". Depressão é quando o Inconsciente fica tocando uma única música triste. Por que ele não muda o disco? Pela mesma razão por que a gente põe a música para ser tocada de novo: porque é bonita. Há uma trágica beleza na depressão. Literariamente a depressão produz muitos romances e novelas. A alegria, ao contrário, sozinha, não produz literatura. É preciso fazer com ela aquilo que a maquineta de tirar dor faz com a dor: produzir uma *contramúsica*. A *Sonata ao luar* começa com tristeza mas termina com um *presto* furioso. O movimento final da sonata de Chopin é um triunfo sobre a beleza sedutora da morte. Não é curioso que esses movimentos rápidos se chamem *allegro?* A magia da música tem a ver com isto: a alma é seduzida pela beleza, possuída, deixa-se levar. Assim, imaginei que, talvez, pudesse haver uma terapia-feitiçaria musical antidepressão: começando com um "*Adagio* lamentoso" (é preciso enganar a depressão instalada na alma!), terminaria com o último movimento da *Nona sinfonia*, a "Ode à alegria", beleza nascida do mais profundo sofrimento! Beethoven não nos proíbe a depressão: ele a conhecia muito bem. Mas ele nos proíbe de ser derrotados por ela.

O MÚLTIPLO E O SIMPLES

O *Tao Te Ching*, livro sagrado do taoismo, já dizia há mais de um milênio que nós temos dois lados. Há um lado que olha para fora. Olhando para fora, defrontamo-nos com o mundo da multiplicidade, dez mil coisas que se impõem a nossos sentidos, nos dão ordens, nos atropelam e nos enrolam aos trambolhões, como aquelas ondas de praias de tombo. Aí nos defrontamos com uma única coisa, o desejo mais profundo do nosso coração, aquela coisa que, se a tivéssemos, nos traria alegria. Jesus contou a parábola de um homem que tinha muitas joias e que, ao encontrar uma única pérola maravilhosa, vendeu as muitas para comprar uma única. No primeiro lado, moram o conhecimento, a ciência, a bolsa de valores, a cotação do dólar, as coisas que se podem comprar, e todas as coisas que compõem a nossa vida de fora. Essas coisas são "meios para viver" – ferramentas que podemos usar. No segundo lado, mora a sabedoria, que é a capacidade para discernir as coisas que valem a pena.

Num bufê, você encheria o prato com tudo o que está na mesa? Somente um tolo faria isso. Você consultaria o seu desejo: "De tudo isso que está à minha frente, o que é que realmente desejo comer?". Tolos são aqueles que, seduzidos pela multiplicidade, se entregam vorazmente a ela. Eles acabam tendo uma terrível indigestão... Sábios são aqueles que, da multiplicidade, escolhem o essencial. Simplicidade é isto: escolher o essencial.

A ÁRVORE INÚTIL

Terceiro dos grandes mestres do taoismo, Chuang-Tzu, a ele se atribui esta estória.

Nan-Po Tzu-ki atravessa a colina de Chang. Ele percebe uma árvore surpreendentemente grande. Sua sombra pode cobrir mil carroças com quatro cavalos.
– Que árvore é esta? – pergunta-se Tzu-ki. – Para que pode servir? Olhando-a de baixo, seus pequenos ramos curvos e torcidos não podem ser transformados nem em vigas nem em cumeeiras. Olhando-a do alto, seu grande tronco, nodoso e rachado, não pode servir para fabricar coisa alguma, nem mesmo ataúdes. Aquele que lamber suas folhas ficará com a boca ulcerada e cheia de abscessos. Só de sentir o seu cheiro fica-se logo tonto e embriagado por três dias.
Tzu-ki conclui:
– Esta árvore não é realmente utilizável e, por essa razão, conseguiu atingir tal porte. Ah! O homem divino, por sua vez, não passa de madeira que não pode ser utilizada.

Dessa árvore solitária e extraordinária na colina de Chang eu me lembrei ao ler a notícia sobre um homem tão solitário quanto e mais extraordinário que ela... Só podia ser o homem divino a que se referia Chuang-Tzu. Seu nome: Takeshi Nojima. Imigrante japonês, com 80 anos, já vendeu tomates, criou bicho-da-seda e foi dono de mercearia. Preparava-se para prestar o vestibular de medicina. E ele se explicava: "Parte de minha vida passei cuidando dos meus pais. Outra parte, cuidando dos meus filhos. Chegou, finalmente, a hora de cuidar de mim mesmo. Sempre sonhei em estudar medicina. Quero agora realizar o meu sonho".

Pus-me então a fazer cálculos. Oitenta anos. Imaginando-se que ele passou no vestibular, terá à sua frente mais seis anos de estudos. Ao terminar o seu curso terá 86 anos de idade. Será então o momento de fazer a residência médica. Mais dois anos. Somente aos 88 anos irá iniciar o exercício da profissão médica.

Meu primeiro impulso foi o de rir ante a loucura de um velho. Será que ele não sabe somar os anos? Será que ele não tem consciência dos limites da vida?

Mas logo um sopro de sabedoria me salvou. Sorri. E pensei: "É claro que ele sabe de todas as coisas. É claro que ele sabe que, provavelmente, não haverá tempo para o exercício da sua profissão. Ele sabe que tudo é inútil. E, a despeito disso, o faz. Inútil como aquela árvore que não vivia pelos usos que pudesse ter, mas pela pura alegria de ser".

Utilidade. Colheres, facas, vassouras, alicates, martelos, palitos, pentes, escovas: são todos úteis. Sua razão de ser é aquilo que se pode fazer com eles. São ferramentas, meios, pontes, caminhos para outras coisas diferentes deles... Em si mesmos, não dão nem prazer nem alegria a ninguém.

Inutilidade. A sonata de Domenico Scarlatti que ouço tocada ao cravo, enquanto escrevo esta crônica. O pequeno poema de Emily Dickinson que repito de cor. O cálice de licor que bebo. As ninfeias de Monet sobre as quais se demoram meus olhos. O bonsai de que cuido. A pipa na mão do menino. A boneca no colo da menina. A mão querida que me toca. Não servem para nada. Não são ferramentas úteis para realizar tarefas. Nem são caminhos ou pontes. Quem tem essas coisas não precisa de ferramentas, pois com elas cessa o desejo de fazer. Quem tem essas coisas não precisa nem de pontes nem de caminhos, porque com elas cessa o desejo de ir. Não é preciso ir, porque já se chegou lá, no lugar da alegria. O prazer e a alegria moram na inutilidade.

E pensei então que aquele homem divino ia fazer o seu curso de medicina como quem escreve um poema, ou toca uma sonata, ou planta um bonsai, ou empina uma pipa; para nada, pelo puro prazer, pela alegria de ser. Imaginei que, talvez, a felicidade do gozo na inutilidade seja algo que os deuses só concedem àqueles que fizeram as pazes com a velhice. Pois a eles é dada a graça, se ficarem sábios, de gozar a liberdade da compulsão prática – a doença terrível e mortal que ataca jovens e adultos. Todos eles querem ser úteis. Todos querem ser ferramentas. Todos querem morar ao lado de facas, martelos, palitos, vassouras, caminhos e pontes.

Os que vivem sob a compulsão da utilidade trabalham. E o tempo todo estão em busca de algo inatingível que se encontra depois de terminada a tarefa, ao fim do caminho, do outro lado da ponte, e que se afasta sempre.

Os que vivem sob a graça da inutilidade não querem chegar a lugar algum. Porque já chegaram. Quero ficar na sonata, no poema, no licor, nas ninfeias, no bonsai, na pipa, na boneca, na mão que me toca. Por isso amo as pessoas divinas, árvores solitárias na colina, madeira que não pode ser utilizada. Amo aqueles que se entregam a gestos loucos e inúteis – pela pura alegria de ser. E amo aquele imigrante japonês desconhecido que se plantou como um bonsai, inútil e belo...

Vejo, no alto da colina de Chang, não uma árvore, mas duas. Suas idades somam 160 anos. Elas conversam e se sacodem de tanto rir. Falam sobre os próximos 160 anos que se seguirão...

※

SOBRE A CIÊNCIA E A *SAPIENTIA*

O meu prazer é ver as coisas ao contrário. Ignoro as origens desse hábito estranho e de consequências frequentemente embaraçosas. Pode ser que isso seja coisa de poeta. A Adélia Prado confessa ser possuída por obsessão semelhante, e se refere ao seu "caminho apócrifo de entender a palavra pelo seu reverso" (*Poesia reunida*, p. 61). Talvez isso seja doença ligada às minhas origens: nasci em Minas Gerais, estado onde nasceram Guimarães Rosa e Riobaldo. Ou pode ser vício ligado à minha profissão. Sou psicanalista, e psicanalista não acredita nunca nos reflexos cartesianos da superfície chamada consciência, morada dos saberes e da ciência. Eles preferem a fundura das águas onde as palavras nadam silenciosas como peixes.

Vou dizer as coisas ao contrário, conforme o meu hábito, pois é assim que meus olhos veem o mundo. Tempero meu embaraço com um aforismo de T.S. Eliot: "Num país de fugitivos aquele que anda na direção contrária parece estar fugindo".

A Sociedade Brasileira para o Progresso da Ciência, ilustre assembleia de cientistas, pediu-me para falar sobre o tema ciência e consciência. A palavra *consciência*, em nossa língua, sofre de uma ambiguidade. Pode ela referir-se àquela *voz íntima* que nos chama a realizar a verdade do nosso ser. Sobre isso Heidegger meditou longamente no seu livro *O ser e o tempo*. Dentre todos os seres vivos, nós somos os únicos que podem se perder pela sedução de formas inautênticas de vida: peixes colhidos nas redes do "eles anônimo" que vulgarmente recebe o nome de "sociedade". A *consciência* é a voz que nos faz lembrar nossas origens profundas: as correntes frescas, a fundura dos rios (Guimarães Rosa, como ele amava os rios! Confessou que, numa outra encarnação, gostaria de nascer jacaré!), a liberdade, o mistério, o silêncio, a solidão. A *consciência* mostra o rumo.

A *ciência* não tem *consciência*. Não poderia ter. Ciência é barco. Barco nada sabe sobre rumos: desconhece portos e destinos. Quem sabe sobre portos e destinos são os navegadores. Os cientistas são os navegadores que navegam o barco da ciência. Os cientistas antigos, fascinados pelo barco, acreditavam que nem seria preciso cuidar dos rumos. Sua paixão romântica pela *ciência* era tão intensa que pensavam que os ventos do saber sopravam sempre na direção do paraíso perdido. (Os apaixonados são todos iguais...) Acreditavam que o conhecimento produzia sempre a bondade. Por isso, bastava que se dedicassem à produção do conhecimento para que a bondade se seguisse, automaticamente. Infelizmente eles estavam errados. Os ventos do saber tanto podem levar ao paraíso quanto podem levar ao inferno. Os infernos também se fazem com ciência.

Essa religião, eu penso, cujos dogmas filosóficos caíram em descrédito, continua, entretanto, a determinar os rumos da nau: as heranças dos mortos são os sepulcros dos vivos. Ela se encontra sutilmente presente no próprio nome da Sociedade Brasileira para o Progresso da Ciência, como se a questão crucial fosse o *progresso da ciência*. Naus melhores não garantem, por si mesmas, o rumo ao paraíso. É possível que navios modernos naveguem (rapidamente) para o inferno enquanto primitivos barcos a vela naveguem (vagarosamente) na direção do paraíso.

Mas a palavra *consciência* tem também um segundo sentido: *consciência* como a forma pela qual conhecemos o mundo. Roland Barthes, no seu maravilhoso texto "Aula", diz que ao envelhecer estava trocando sua maneira de conhecer o mundo. Até ali, ele fora um professor de *saberes* – dedicara-se ao progresso da ciência. A *ciência* é uma forma *ocular* de experimentar o mundo. Ela nasceu a partir do desejo de *ver* o mundo com olhos capazes de ver o invisível. Pois é isto que são as *teorias*: óculos de palavras através dos quais vemos o mundo de uma forma escondida aos olhos comuns. Acho que foi Karl Popper que disse isso de forma metafórica: "Todas as nuvens são relógios". Ao que a física quântica retrucaria dizendo o contrário: "Todos os relógios são nuvens". O mundo ocular da ciência é fascinante.

Mas o olhar contém uma maldição: somente é possível ver a distância. Vejo o que está longe do corpo. Impossível ler um texto colado aos meus olhos. Os prazeres do contato do corpo são incompatíveis com a visão. (Imagino que essa é a razão pela qual os amantes fecham os olhos para beijar...) Daí a afirmação psicanalítica de que a nossa infelicidade se deve à impossibilidade de comer tudo aquilo que vemos. (Os poetas são aqueles que tentam transformar o visível em comestível. Eles fazem isso por meio de uma operação alquímica intermediária: transformam o visível em palavras que, por sua vez, são comidas. A poesia é formada por palavras comestíveis.)

Barthes disse que a velhice lhe permitiu entregar-se ao esquecimento: procurava desaprender os saberes que progressivamente haviam se depositado sobre o seu corpo através dos anos, da mesma forma como a craca se agarra ao casco dos barcos. Queria esquecer-se dos saberes acumulados para retornar ao saber esquecido do seu corpo. E, ao final desse processo de desaprendizagem purificadora, ele afirmou haver chegado àquilo que a ciência ocultara: ele encontrou *sapientia*: uma forma nova (velhíssima, original, infantil) de *consciência*. *Sapientia* é saber saboroso. Vale transcrever um curto parágrafo de Nietzsche:

> A palavra grega que designa o "sábio" se prende, etimologicamente, a *sapio*, eu saboreio, *sapiens*, o degustador, *sisyphos*, o homem de gosto mais apurado; um apurado degustar e distinguir, um significativo discernimento, constitui, pois, (...) a arte peculiar do filósofo. (...) A ciência, sem essa seleção, sem esse refinamento de gosto, precipita-se sobre tudo o que é possível saber, na cega avidez de querer conhecer a qualquer preço; enquanto o pensar filosófico está sempre no rastro das coisas dignas de serem sabidas... (*A filosofia na época trágica dos gregos*)

O meu embaraço, o meu andar na direção contrária, se prende a este fato: que eu ouso pronunciar uma palavra há muito banida do discurso da *ciência*: sapientia. A *ciência* fez silêncio sobre a *sapientia* por julgá-la supérflua. Julgou que seus *saberes*, necessariamente, produziriam *sabores*; que o seu progresso, necessariamente, produziria a felicidade. Daí essa voracidade grotesca apontada por Nietzsche: se pode ser conhecido deve ser conhecido – desde que a coisa tenha sido produzida com a *metodologia* adequada. Não me recordo, em bancas de mestrado e doutoramento, de haver presenciado discussões sobre o *sabor* da comida sendo servida. As discussões se concentram, predominantemente, na *forma como a comida foi preparada, isto é, no método*. *Ciência* é igual a método? Qualquer coisa idiota e irrelevante pode ser conhecida com rigor científico. E pode, assim, transformar-se em objeto de pesquisa e de tese.

A *ciência* progride: os *saberes* se somam. A *ciência* é um ser do tempo. A *sapientia*, ao contrário, não se soma, não progride. Não somos mais sábios que Sócrates, Jesus, Buda, Lao Tsu, Angelus Silesius. Não somos mais sábios que as crianças. Porque *sapientia*, essa *consciência* saborosa do mundo, o mundo como objeto de degustação – é a *consciência* da criança: o nenezinho é sábio; ele sabe que o mundo se divide em *coisas gostosas*, que dão prazer ao corpo, e que por isso mesmo devem ser comidas. E coisas *não gostosas*, que por isso mesmo devem ser cuspidas e vomitadas.

    Sugiro, para a *ciência*, uma nova *consciência*: a de *serva* da *sapientia*. O único propósito dos *saberes* é tornar possível a exuberância dos *sabores*. Pois o que Barthes disse, afinal de contas, é que dali para frente ele tomava a *culinária* como modelo para seu labor intelectual. Quem sabe, algum dia, esquecidos os *saberes* acumulados, cientistas e mestres se tornarão *sábios* e as escolas e universidades tomarão as *cozinhas* como modelo...

TRISTEZA-BELEZA

Tenho andado meio triste. Alguns amigos perceberam e ficaram preocupados. Eu quero tranquilizá-los. De fato estou doente. Mas não é doença grave. Sofro de beleza. Não é por acidente que beleza rima com tristeza. Albert Camus dizia que a beleza é insuportável. Rafael Consinos-Asséns, poeta judeu-espanhol, pedia a Deus que não houvesse tanta beleza. Vinicius confessava que a beleza lhe dava vontade de chorar. A Adélia Prado confirma, dizendo que o que é bonito enche os olhos d'água. E a Cecília Meireles, aquela que "às areias e gelos quis ensinar a primavera", se descrevia como "essa que sofreu de beleza". É isso: eu também sofro de beleza.

A beleza me produz uma tristeza mansa. Não julgo que ela deva ser curada. Se eu a curasse, se eu ficasse alegrinho, eu deixaria de ser o que sou. Minha tristeza é tanto parte de mim quanto a cor dos meus olhos, as batidas do meu coração, as minhas mãos. Sem a minha tristeza eu ficaria aleijado – acho que até pararia de escrever. Porque a minha escritura é um contraponto musical à minha tristeza. Alberto Caeiro sentia assim também:

Mas eu fico triste como um pôr de sol
Para a nossa imaginação,

quando esfria no fundo da planície
e se sente a noite entrada
como uma borboleta pela janela.
Mas a minha tristeza é sossego
porque é natural e justa
e é o que deve estar na alma
(...)
É preciso ser de vez em quando infeliz
para se poder ser natural...

Nietzsche, ainda muito jovem, disse que, na arte, "uma imagem brilhante de nuvens e céu aparece espelhada no lago negro da tristeza". Não há arte sem tristeza. A sua beleza é um contraponto à tristeza da vida. Os psiquiatras e os alegrinhos querem logo curar a tristeza. Prescrevem comprimidos e contam piadas. Mas eu acho que a coisa é outra: é preciso fazer amizade com a tristeza. Quem é amigo da tristeza fica mais bonito.

Estou escutando Bach neste momento. É ela, a música de Bach, a culpada pela minha tristeza. Música é feitiçaria. Bach era feiticeiro. A música, sem uma única palavra, sem que a razão possa defender-se, entra no corpo e vai ao fundo da alma. Ouvindo música fico indefeso. Minha consciência crítica está morta. A beleza não deixa lugar para o pensamento. Qualquer coisa que eu pense será um ruído que arruinará a beleza. Tenho dó dos críticos musicais. São obrigados, por profissão, a pensar enquanto ouvem. E o pensamento lhes rouba a possibilidade do transe. A música entrou em todas as partes do meu corpo. Estou em êxtase, esquecido de tudo mais. Nada desejo. Para o inferno Descartes com o seu "Penso, logo existo". Digo eu: "Estou possuído pela música, logo existo".

Espeleologia é a ciência das cavernas. Eu estudei uma espeleologia que se dedica a explorar as cavernas da alma. A alma é um emaranhado de cavernas iluminadas por uma luz que se insinua por frestas estreitas, cavernas que vão ficando cada vez mais fundas e escuras. Lá fora é o mundo ensolarado, "uma grande feira e tudo são barracas e saltimbancos" (Fernando Pessoa), muita gente, falatório, gritaria, tagarelice, risadas, todos falam, ninguém escuta, os participantes trocam palavras conhecidas e todos usam máscaras sorridentes. A entrada da caverna está escondida pela vegetação. São poucos os que a encontram. São poucos os que têm coragem de entrar. Lá dentro tudo é diferente. Os espaços modelados pelos milênios pedem poucas palavras. As vozes se transformam em sussurros. Mas os olhos crescem. E assim vamos descendo cada vez mais fundo, até que nos descobrimos sozinhos. Há solidão e silêncio. A verdade da alma está além das palavras, não pode ser dita.

Depois de muito descer chega-se ao fundo da caverna: lá está, faz muitos milênios, um lago de água absolutamente azul. (É na cidade de Bonito, em Mato Grosso do Sul.) O fundo da alma é um lago. Lago encantado. Dele sai uma melodia. No fundo absoluto da alma, lá onde a solidão é total, lá onde as palavras cessam – ouve-se uma música. Fernando Pessoa sabia disso e o disse num verso: "... e a melodia que não havia, se agora a lembro, faz-me chorar". A melodia que não havia nos faz lembrar uma beleza que perdemos. Narciso via sua beleza refletida na superfície do lago. Na música a nossa beleza aparece como entidade sonora. Ao ouvir música nos transformamos em música. Sou a música de Bach que estou ouvindo. É uma alegria efêmera. Porque, em oposição à pintura e à escultura, a música acontece no tempo – e a beleza vai escorrendo pelo corpo como água. Alegria que se sente para logo ser perdida. Daí a tristeza da música, a minha tristeza.

Minha tristeza é provocada por um CD, esse mesmo que estou ouvindo. Do Grupo Corpo. O Grupo Corpo é uma companhia de dança. Não é possível descrevê-lo. Só sei que, nas poucas vezes que os vi, fiquei possuído. Meu corpo se recusou a simplesmente ver o espetáculo. Ele queria abraçar aquilo que via e ouvia. A música é assim: não quer ser só ouvida. Quer possuir os corpos, transformar-se em vida, tornar-se carne. "... e a Música se fez carne..."

É um Bach diferente, transformado pelo grupo Uakti, que se especializa em instrumentos estranhos e sons desconhecidos. Neste preciso momento começa o coral: "Vem doce morte. Vem abençoado descanso. Vem, conduze-me à alegria, pois estou cansado do mundo. Vem, eu te espero. Vem logo e leva-me. Fecha os meus olhos. Vem, abençoado descanso". Eu já havia ouvido esse coral muitas vezes e cheguei mesmo a tocá-lo ao órgão. Mas nunca da forma como o ouvi. Um som metálico, estranho, instrumento que Bach não conhecia. Será, por acaso, um berimbau tangido por um arco? É tão triste.

Mas logo a tristeza cessa e se transforma em alegria, a deliciosa *Courante*, ritmo ternário, valsa, vontade de sair dançando, seguida pela ária para soprano do coro *Jesus, alegria dos homens*, acompanhado pelo movimento melódico do prelúdio da 1ª suíte para violoncelo.

E aqui fico eu, ouvindo essa ciranda de Bach, sem me cansar. É que estou ouvindo "a melodia que não havia". Por isso choro e fico triste. Mas não é tristeza de tristeza, é tristeza de que haja tanta beleza, beleza que é demais para mim.

Mas é também uma tristeza que é tristeza: há uma grande solidão lá no fundo, onde o lago é azul, e a melodia se ouve. Estou sozinho. Ninguém pode chegar onde estou. No fundo da alma a solidão é total.

Minha tristeza é mansa e boa. Não se preocupem comigo. Diz a Adélia que "pode com a tristeza é quem não perdeu a alegria". Enquanto eu ouvir Bach estarei salvo.

DIÁRIO

Um diário é um livro que ainda não é livro. É um livro vazio, folhas de papel em branco. Não há nada escrito nele. Tudo está por escrever. Será o seu dono que irá nele registrar as coisas do dia a dia que julga merecedoras de serem lembradas, coisas que não devem ser esquecidas. Escreve-se um diário por não se confiar na memória. Nenhum diário é igual a outro porque nenhuma pessoa é igual a outra. As pessoas, ao passarem pela vida, vão catando coisas diferentes. Um diário é um livro onde se colocam as coisas catadas. É impossível conhecer uma pessoa, diretamente. Mas é possível conhecê-la por aquilo que ela guarda. O que se guarda é um retrato da alma. Um diário registra muitas coisas. Mas essas muitas coisas, se ajuntadas, revelam o rosto de uma alma. Essa é a razão por que um diário é, normalmente, secreto. Nudez de corpo, tudo bem. Mas ninguém tem o direito de ver a minha alma na sua nudez. Por isso os diários são mantidos em gavetas fechadas à chave.

Um diário novo não diz nada. É o silêncio. Ele só começará a dizer depois que eu escrever nele as minhas coisas. Num diário eu me leio porque ele é um espelho que guarda minhas imagens passadas.

Esses pensamentos sobre um diário fizeram minha imaginação voar. E eu pensei se a palavra "Deus" não é também o nome de um livro em branco à espera da minha escritura. O que escrevo nesse livro? Escrevo os meus suspiros, as minhas dores, o pulsar de um coração num mundo sem coração, as minhas esperanças, canções de ninar que desejo ouvir. Orações. Orações são palavras que eu desejo eternas.

Por isso, à semelhança dos diários, esse livro que porta o nome sagrado, não há um só que seja igual a outro. Quem está dentro do livro é o escritor. Nossos deuses são nossas imagens num espelho. Cada um tem a sua.

SOBRE A MORTE E O MORRER

Já tive medo da morte. Hoje não tenho mais. O que sinto é uma enorme tristeza. Concordo com Mario Quintana. "Morrer, que me importa? O diabo é deixar de viver!". A vida é tão boa! Não quero ir embora... Eram seis da manhã. Minha filha me acordou. Ela tinha três anos. Fez-me então a pergunta que eu nunca imaginara: "Papai, quando você morrer você vai sentir saudades?". Emudeci. Não sabia o que dizer. Ela entendeu e veio em meu socorro: "Não chore que eu vou te abraçar...". Ela, menina de três anos, sabia que a morte é onde mora a saudade. Cecília Meireles sentia algo parecido:

> E eu fico a imaginar se depois de muito navegar a algum lugar enfim se chega... O que será, talvez, até mais triste. Nem barcas, nem gaivotas. Apenas sobre-humanas companhias... Com que tristeza o horizonte avisto, aproximado e sem recurso. Que pena a vida ser só isto...

Dona Clara era uma velhinha de 95 anos, lá em Minas. Vivia uma religiosidade mansa, sem culpas ou medos. Na cama, cega, a filha lhe lia a *Bíblia*. De repente, ela fez um gesto, interrompendo a leitura. O que ela tinha a dizer era infinitamente mais importante: "Minha filha, sei que minha hora está chegando... Mas, que pena! A vida é tão boa...".

Mas tenho muito medo do morrer. O morrer pode vir acompanhado de dores, humilhações, aparelhos e tubos enfiados no meu corpo contra a minha vontade, sem que eu nada possa fazer porque já não sou mais dono de mim mesmo, solidão, ninguém tem coragem ou palavras para, de mãos dadas comigo, falar sobre a minha morte, medo de que a passagem seja demorada. Bom seria se, depois de anunciada, ela acontecesse de forma mansa e sem dores, longe dos hospitais, em meio a pessoas que se ama, em meio a visões de beleza. Seria possível planejar a própria morte como uma obra de arte? Zorba morreu olhando para as montanhas. Uma amiga me disse que quer morrer olhando para o mar. Montanhas e mar: haverá metáforas mais belas para o Grande Mistério?

No entanto, a medicina não entende. Um amigo contou-me dos últimos dias do seu pai, já bem velho. As dores eram terríveis. Era-lhe insuportável a visão do sofrimento do pai. Dirigiu-se, então, ao médico: "O senhor não poderia aumentar a dose dos analgésicos para que meu pai não sofra?". O médico o olhou com olhar severo e disse: "O senhor está sugerindo que eu pratique a eutanásia?". Há dores que fazem sentido. Como as dores do parto: uma vida nova está nascendo. Mas há dores que não fazem sentido algum. Seu velho pai morreu sofrendo uma dor inútil. Qual foi o ganho humano? Que eu saiba, apenas a consciência apaziguada do médico que dormiu em paz por haver feito aquilo que o costume mandava, costume a que frequentemente se dá o nome de ética. Um outro velhinho querido, 92 anos, cego, surdo, todos os esfíncteres sem controle, numa cama, em meio aos fedores de fezes e urina – de repente um acontecimento feliz! O coração parou. Ah, com certeza fora o seu Anjo da Guarda que assim punha um fim à sua miséria! Aquela parada cardíaca era o último acorde da sonata alegre que fora a sua vida! Mas o médico, movido pelos automatismos costumeiros, se apressou a cumprir seu dever: debruçou-se sobre o velhinho e o fez respirar de novo. Sofreu inutilmente por mais dois dias antes de tocar de novo o acorde final.

Dir-me-ão que é dever dos médicos fazer todo o possível para que a vida continue. Eu também, da minha forma, luto pela vida. A literatura tem o poder de ressuscitar os mortos. Aprendi com Albert Schweitzer, desde a minha juventude, que a "reverência pela vida" é o supremo princípio ético do amor. Mas o que é vida? Mais precisamente: o que é a vida de um ser humano? O que e quem a define? O coração que continua a bater dentro de um corpo aparentemente morto? Ou serão os zigue-zagues nos vídeos dos monitores que indicam a presença de ondas cerebrais? Confesso que, na minha experiência de ser humano, nunca me encontrei com a vida em forma de batidas de coração ou ondas cerebrais. A vida humana não se define biologicamente. Permanecemos humanos enquanto existe em nós a esperança da beleza e da alegria. Morta a possibilidade de sentir alegria ou gozar a beleza, o corpo se transforma numa casca de cigarra vazia.

Muitos dos chamados "recursos heroicos" para manter vivo um paciente são, do meu ponto de vista, uma violência ao princípio da "reverência pela vida". Porque se os médicos dessem ouvidos ao pedido que a vida está fazendo, eles a ouviriam dizer: "Liberta-me. Deixa-me ir". Comovi-me com o drama do jovem francês Vincent Humbert, de 22 anos, havia três anos cego, surdo, mudo, tetraplégico, vítima de um acidente automobilístico. Comunicava-se por meio do único dedo que podia movimentar. E foi assim que escreveu um livro em que dizia: "Morri em 24 de setembro de 2000. Desde aquele dia, eu não vivo. Me fazem viver. Para quem, para quê, eu não sei...". Implorava que lhe dessem o direito de morrer. Como as autoridades, movidas pelo costume e pelas leis, se recusassem, sua mãe realizou o seu desejo: colocou uma mistura de barbitúricos na sonda que o alimentava. A morte o libertou do sofrimento.

Dizem as Escrituras Sagradas: "Para tudo há o seu tempo. Há tempo para nascer e tempo para morrer". A morte e a vida não são contrárias. São irmãs. A "reverência pela vida" exige que sejamos sábios para permitir que a morte chegue quando a vida deseja ir. Cheguei a sugerir uma nova especialidade médica, simétrica à obstetrícia: a *morienterapia*, o cuidado com os que estão morrendo. A obstetrícia é a especialidade que recebe a vida quando ela chega. A missão da *morienterapia* seria cuidar da vida que se prepara para partir. Cuidar para que ela seja mansa, sem dores e cercada de amigos, longe de UTIs. Já encontrei a padroeira para essa nova especialidade: a *Pietà* de Michelangelo, com o Cristo morto nos seus braços. Nos braços daquela mãe, o morrer deixa de causar medo.

A AMIZADE

Lembrei-me dele e senti saudades... Tanto tempo que a gente não se vê! Dei-me conta, com uma intensidade incomum, da coisa rara que é a amizade. E, no entanto, é a coisa mais alegre que a vida nos dá. A beleza da poesia, da música, da natureza, as delícias da boa comida e da bebida perdem o gosto e ficam meio tristes quando não temos um amigo com quem compartilhá-las. Acho mesmo que tudo o que fazemos na vida pode se resumir nisto: a busca de um amigo, uma luta contra a solidão...

Lembrei-me de um trecho de Jean-Christophe, que li quando era jovem, e do qual nunca me esqueci. Romain Rolland descreve a primeira experiência com a amizade do seu herói adolescente. Já conhecera muitas pessoas nos curtos anos de sua vida. Mas o que experimentava naquele momento era diferente de tudo o que já sentira antes. O encontro acontecera de repente, mas era como se já tivessem sido amigos a vida inteira.

A experiência da amizade parece ter suas raízes fora do tempo, na eternidade. Um amigo é alguém com quem estivemos desde sempre. Pela primeira vez, estando com alguém, não sentia necessidade de falar. Bastava a alegria de estarem juntos, um ao lado do outro.

Christophe voltou sozinho dentro da noite. Seu coração cantava: "Tenho um amigo, tenho um amigo!". Nada via. Nada ouvia. Não pensava em mais nada. Estava morto de sono e adormeceu assim que se deitou. Mas durante a noite foi acordado duas ou três vezes, como que por uma ideia fixa. Repetia para si mesmo: "Tenho um amigo", e tornava a adormecer.

Jean-Christophe compreendera a essência da amizade. Amiga é aquela pessoa em cuja companhia não é preciso falar. Você tem aqui um teste para saber quantos amigos você tem. Se o silêncio entre vocês dois lhe causa ansiedade, se quando o assunto foge você se põe a procurar palavras para encher o vazio e manter a conversa animada, então a pessoa com quem você está não é amiga. Porque um amigo é alguém cuja presença procuramos não por causa daquilo que se vai fazer juntos, seja bater papo, comer, jogar ou transar. Tudo isso até pode acontecer. Mas a diferença está em que, quando a pessoa não é amiga, terminado o alegre e animado programa, vêm o silêncio e o vazio – que são insuportáveis. Nesse momento o outro se transforma num incômodo que entulha o espaço e cuja despedida se espera com ansiedade.

Com o amigo é diferente. Não é preciso falar. Basta a alegria de estarem juntos, um ao lado do outro. Amigo é alguém cuja simples presença traz alegria independentemente do que se faça ou diga. A amizade anda por caminhos que não passam pelos programas.

Uma estória oriental conta de uma árvore solitária que se via no alto da montanha. Não tinha sido sempre assim. Em tempos passados a montanha estivera coberta de árvores maravilhosas, altas e esguias, que os lenhadores cortaram e venderam. Mas aquela árvore era torta, não podia ser transformada em tábuas. Inútil para os seus propósitos, os lenhadores a deixaram lá. Depois vieram os caçadores de essências em busca de madeiras perfumadas. Mas a árvore torta, por não ter cheiro algum, foi desprezada e lá ficou. Por ser inútil, sobreviveu.

Hoje ela está sozinha na montanha. Os viajantes se assentam sob a sua sombra e descansam.

Um amigo é como aquela árvore. Vive de sua inutilidade. Pode até ser útil eventualmente, mas não é isso que o torna um amigo. Sua inútil e fiel presença silenciosa torna a nossa solidão uma experiência de comunhão. Diante do amigo sabemos que não estamos sós. E alegria maior não pode existir.

"VOCÊ E O SEU RETRATO"

*O seu retrato mais se parece
com você do que você mesma...*

Quem fala "retrato" já confessou a idade. É velho. Hoje se diz "foto".

Segundo o *Aurélio*, as duas palavras são sinônimas. Não são. Os dicionários frequentemente se enganam. "Retrato" e "foto" são habitantes de mundos que não se tocam.

A "foto" pertence ao mundo da banalidade: o piquenique, o turismo, a festa. Combina com Bic, com chicletes, com Disneylândia. Tirar uma foto é gesto automático, não precisa pensar. É só apertar um botão.

Um "retrato", ao contrário, só aparece ao fim de uma meditação metafísica, religiosa. É o ponto final de uma busca. O retratista busca capturar um pássaro mágico invisível que mora na pessoa a ser retratada e que, vez por outra, faz uma aparição efêmera. Um retratista é um caçador de almas. Roland Barthes escreveu um livro maravilhoso sobre a fotografia: *Câmara clara*. Gostava tanto dele que tinha dois exemplares. Emprestei-os a amigos de memória curta. Acontece que a minha memória é mais curta que a deles. Esqueci-me deles. Perdi os livros. Mas minha memória é boa para as coisas que leio e amo. Lembro-me de Barthes examinando cuidadosamente retratos antigos de sua mãe morta. Tinha saudades dela. Desejava reencontrar-se, no retrato, com aquilo que ele amava nela. As fotos eram fiéis. O rosto era o dela. Mas faltava nelas a essência amada. Não eram fotografias. Depois de muito procurar encontrou a essência amada numa fotografia velha de sua mãe menina.

Li muitos poemas de apaixonados. Via de regra, os apaixonados se perdem em sua própria paixão. Como se fossem canções sem palavras. Comovem os sentimentos sem provocar o pensamento. Exceção é o poema de Cassiano Ricardo "Você e seu retrato". Nele, o amor não se afogou em seus sentimentos. Deseja se conhecer a si mesmo. Por isso filosofa e faz esta estranha pergunta-confissão:

Por que tenho saudade
de você, no retrato,
ainda que o mais recente?
E por que um simples retrato,
mais que você, me comove,
se você mesma está presente?

É mais fácil amar o retrato. Eu já disse que o que se ama é uma "cena". "Cena" é um quadro belo e comovente que existe na alma antes de qualquer experiência amorosa. A busca amorosa é a busca da pessoa que, se achada, irá completar a cena. Antes de te conhecer eu já te amava... E então, inesperadamente, nos encontramos com o rosto que já conhecíamos antes de o conhecer. E somos então possuídos pela certeza absoluta de haver encontrado o que procurávamos. A cena está completa. Estamos apaixonados.

Cassiano Ricardo não fala de cena; fala de retrato. Não consegue entender a distância dolorosa que existe entre o retrato e a pessoa amada. A coisa que amo não está em você, minha amada. Onde terá se escondido? Olho para você e sinto uma sensação de estranheza: como se você não estivesse lá. Por isso tenho saudade de você – quando você mesma está presente. Quero você no retrato, porque você não está em você: "... o seu retrato mais se parece com você do que você mesma (ingrato)".

A paixão é o mais puro de todos os sentimentos: ela deseja uma coisa somente. Mas essa coisa que ela deseja, e que se mostra no retrato, mora num corpo habitado por muitas outras imagens, não amadas. Juntas, no mesmo corpo, a Bela e a Fera. A estória é até generosa porque as feras são belas. Haverá coisa mais bela que um tigre? Lya Luft dizia do seu amado, Hélio Pellegrino, que ele era fera: batia portas, brigava no trânsito, rachou um telefone que não dava linha. Mas nele morava um inesperado riso de menino.

As feras podem ser amadas porque é possível amar o terrível. Mas... e os sapos? Nojentos. O retrato, tocado pelo sapo, transforma-se então em caricatura ridícula. Não acontece de repente. García Márquez diz que a diferença está no pingo de urina na tampa da privada. Não é xixi, coisa de criança, carinhosa. É urina nojenta. Porco. Pingo de urina na tampa da privada destrói qualquer deus. Um jeito de vestir; um olhar estranho, que examina furtivamente sem nada dizer; uma música estranha numa palavra conhecida: tudo são pingos de urina. E a perversa metamorfose do retrato em sapo se opera.

Por isso seu retrato me dá mais saudade de você que você mesma. No retrato você está sempre abraçada à Lua. E no meu retrato, guardado em sua caixa, eu estou sempre abraçado ao Sol. No retrato mora a imagem adorada:

Talvez porque o retrato,
já sem o enfeite das palavras,
tenha um ar de lembrança.

*Talvez porque o retrato
(exato, embora malicioso)
revele algo de criança
(como, no fundo da água,
um coral em repouso).*

E, ao final, a revelação terrível e amorosa:

*Talvez porque, no retrato,
você está imóvel
(sem respiração...).*

Morta? Os crimes de amor são sempre para preservar você, no retrato – contra você, presente. Entre você, presente, e o seu retrato, prefiro o retrato. Oscar Wilde, na *The ballad of the Reading Gaol*, diz o seguinte: "Pois todos os homens matam a coisa que eles amam...". Compare-se com o grito final de Don José, na ópera *Carmen*: "Sim. Eu a matei, eu – a minha Carmen adorada!".

O poema termina com uma afirmação comovente: "Talvez porque todo retrato é uma retratação". Retratação: desdizer, pedir perdão. Desdigo o que disse. Peço perdão. Disse que amava o retrato mais que você. Mas o retrato é mentiroso. O retrato é, morta no papel, a coisa viva que só tem vida no seu corpo, e que aparece e desaparece, no meio das feras e dos sapos. O amor sobrevive na esperança de reaparições. Que a amada apareça tal qual Nossa Senhora, abraçada à Lua; e o amado, tal qual Nosso Senhor, abraçado ao Sol. Pode ser que vocês não acreditem: mas foi para esse momento efêmero de felicidade que o universo foi criado.

❋

A SOLIDÃO AMIGA

A noite chegou, o trabalho acabou, é hora de voltar para casa. Lar, doce lar? Mas a casa está escura, a televisão, apagada, e tudo é silêncio. Ninguém para abrir a porta, ninguém à espera. Você está só. Vem a tristeza da solidão... O que mais você deseja é não estar em solidão...

Mas deixe que eu lhe diga: sua tristeza não vem da solidão. Vem das fantasias que surgem na solidão. Lembro-me de um jovem que amava a solidão: ficar sozinho, ler, ouvir música... Assim, aos sábados, ele se preparava para uma noite de solidão feliz. Mas bastava que ele se assentasse para que as fantasias surgissem. Cenas. De um lado, amigos em festas felizes, em meio ao falatório, aos risos, à cervejinha. Aí a cena se alterava: ele, sozinho naquela sala. Com certeza ninguém estava se lembrando dele. Naquela festa feliz, quem se lembraria dele? E aí a tristeza entrava e ele não mais podia curtir a sua amiga solidão. O remédio era sair, encontrar-se com a turma para encontrar a alegria da festa. Vestia-se, saía, ia para a festa... Mas na festa ele percebia que festas reais não são iguais às festas imaginadas. Era um desencontro, uma impossibilidade de compartilhar as coisas da sua solidão... A noite estava perdida.

Faço-lhe uma sugestão: leia o livro *A chama de uma vela*, de Bachelard. É um dos livros mais solitários e mais bonitos que jamais li. A chama de uma vela, por oposição às luzes das lâmpadas elétricas, é sempre solitária. A chama de uma vela cria, ao seu redor, um círculo de claridade mansa que se perde nas sombras. Bachelard medita diante da chama solitária de uma vela. Ao seu redor, as sombras e o silêncio. Nenhum falatório bobo ou riso fácil para perturbar a verdade da sua alma. Lendo o livro solitário de Bachelard, eu encontrei comunhão. Sempre encontro comunhão quando o leio. As grandes comunhões não acontecem em meio aos risos da festa. Elas acontecem, paradoxalmente, na ausência do outro. Quem ama sabe disso. É precisamente na ausência que a proximidade é maior. Bachelard, ausente: eu o abracei agradecido por ele assim me entender tão bem. Como ele observa, "parece que há em nós cantos sombrios que toleram apenas uma luz bruxuleante. Um coração sensível gosta de valores frágeis". A vela solitária de Bachelard iluminou meus cantos sombrios, fez-me ver os objetos que se escondem quando há mais gente na cena. E ele faz uma pergunta que julgo fundamental e que proponho a você, como motivo de meditação: "Como se comporta a sua solidão?". Minha solidão? Há uma solidão que é minha, diferente das "solidões" dos outros? A solidão se comporta? Se a minha solidão se comporta, ela não é apenas uma realidade bruta e morta. Ela tem vida.

Entre as muitas coisas profundas que Sartre disse, esta é a que mais amo: "Não importa o que fizeram com você. O que importa é o que você faz com aquilo que fizeram com você". Pare. Leia de novo. E pense. Você lamenta essa maldade que a vida está fazendo com você, a solidão. Se Sartre está certo, essa maldade pode ser o lugar onde você vai plantar o seu jardim.

Como é que a sua solidão se comporta? Ou, talvez, dando um giro na pergunta: Como você se comporta com a sua solidão? O que é que você está fazendo com a sua solidão? Quando você a lamenta, você está dizendo que gostaria de se livrar dela, que ela é um sofrimento, uma doença, uma inimiga... Aprenda isto: as coisas são os nomes que lhes damos. Se chamo minha solidão de inimiga, ela será minha inimiga. Mas será possível chamá-la de amiga? Drummond acha que sim:

> *Por muito tempo achei que a ausência é falta.*
> *E lastimava, ignorante, a falta.*
> *Hoje não a lastimo.*
> *Não há falta na ausência.*
> *A ausência é um estar em mim.*
> *E sinto-a, branca, tão pegada,*
> *aconchegada nos meus braços,*
> *que rio e danço e invento exclamações alegres,*
> *porque a ausência, essa ausência assimilada,*
> *ninguém a rouba mais de mim!*

Nietzsche também tinha a solidão como sua companheira. Sozinho, doente, tinha enxaquecas terríveis que duravam três dias e o deixavam cego. Ele tirava suas alegrias de longas caminhadas pelas montanhas, da música e de uns poucos livros que ele amava. Eis aí três companheiras maravilhosas! Vejo, frequentemente, pessoas que caminham por razões de saúde. Incapazes de caminhar sozinhas, vão aos pares, aos bandos. E vão falando, falando, sem ver o mundo maravilhoso que as cerca. Falam porque não suportariam caminhar sozinhas. E, por isso mesmo, perdem a maior alegria das caminhadas, que é a alegria de estar em comunhão com a natureza. Elas não veem as árvores, nem as flores, nem as nuvens, nem sentem o vento. Que troca infeliz! Trocam as vozes do silêncio pelo falatório vulgar. Se estivessem a sós com a natureza, em silêncio, sua solidão tornaria possível que elas ouvissem o que a natureza tem a dizer. O estar juntos não quer dizer comunhão. O estar juntos, frequentemente, é uma forma terrível de solidão, um artifício para evitar o contato com nós mesmos. Sartre chegou a ponto de dizer que "o inferno é o outro". Sobre isso, quem sabe, conversaremos outro dia... Mas, voltando a Nietzsche, eis o que ele escreveu sobre a sua solidão:

> *Ó solidão! Solidão, meu lar!... Tua voz – ela me fala com ternura e felicidade!*
> *Não discutimos, não queixamos e muitas vezes caminhamos juntos através de portas abertas.*
> *Pois onde quer que estejas, ali as coisas são abertas e luminosas. E até mesmo as horas caminham com pés saltitantes.*
> *Ali as palavras e os tempos/poemas de todo ser se abrem diante de mim. Ali todo ser deseja transformar-se em palavra, e toda mudança pede para aprender de mim a falar.*

E o Vinicius? Você se lembra do seu poema "O operário em construção"? Vivia o operário em meio a muita gente, trabalhando, falando. E, enquanto trabalhava e falava, ele nada via, nada compreendia. Mas aconteceu que,

> (...) certo dia, à mesa, ao cortar o pão, o operário foi tomado de uma súbita emoção, ao constatar, assombrado, que tudo naquela casa – garrafa, prato, facão – era ele que os fazia, ele, um humilde operário, um operário em construção. (...) Ah! Homens de pensamento, não sabereis nunca o quanto aquele humilde operário soube naquele momento! Naquela casa vazia que ele mesmo levantara, um mundo novo nascia de que sequer suspeitava. O operário, emocionado, olhou sua própria mão, sua rude mão de operário, de operário em construção, e olhando bem para ela, teve um segundo a impressão de que não havia no mundo coisa que fosse mais bela. Foi dentro da compreensão desse instante solitário que, tal sua construção, cresceu também o operário. (...) E o operário adquiriu uma nova dimensão: a dimensão da poesia.

Rainer Maria Rilke, um dos poetas mais solitários e densos que conheço, disse o seguinte: "As obras de arte são de uma solidão infinita". É na solidão que elas são geradas. Foi na casa vazia, num momento solitário, que o operário viu o mundo pela primeira vez e se transformou em poeta.

E me lembro também de Cecília Meireles, tão lindamente descrita por Drummond:

> (...) Não me parecia criatura inquestionavelmente real; e por mais que aferisse os traços positivos de sua presença entre nós, marcada por gestos de cortesia e sociabilidade, restava-me a impressão de que ela não estava onde nós a víamos... Distância, exílio e viagem transpareciam no seu sorriso benevolente. Por onde erraria a verdadeira Cecília...

Sim, lá estava ela delicadamente entre os outros, participando de um jogo de relações gregárias que a delicadeza a obrigava a jogar. Mas a verdadeira Cecília estava longe, muito longe, num lugar onde ela estava irremediavelmente sozinha.

O primeiro filósofo que li, o dinamarquês Sören Kierkegaard, um solitário que me faz companhia até hoje, observou que o início da infelicidade humana se encontra na comparação. Experimentei isso em minha própria carne. Foi quando eu, menino caipira de uma cidadezinha do interior de Minas, me mudei para o Rio de Janeiro, que conheci a infelicidade. Comparei-me com eles: cariocas, espertos, bem-falantes, ricos. Eu diferente, sotaque ridículo, gaguejando de vergonha, pobre: entre eles eu não passava de um patinho feio que os outros se compraziam em bicar. Nunca fui convidado a ir à casa de qualquer um deles. Nunca convidei nenhum deles a ir à minha casa. Eu não me atreveria. Conheci, então, a solidão. A solidão de ser diferente. E sofri muito. Nem sequer me atrevi a compartilhar com meus pais esse meu sofrimento. Seria inútil. Eles não compreenderiam. E mesmo que compreendessem, eles nada podiam fazer. Assim, tive de sofrer a minha solidão duas vezes sozinho. Mas foi nela que se formou aquele que sou hoje. As caminhadas pelo deserto me fizeram forte. Aprendi a cuidar de mim mesmo. E aprendi a buscar as coisas que, para mim, solitário, faziam sentido. Como, por exemplo, a música clássica, a beleza que torna alegre a minha solidão...

A sua infelicidade com a solidão: não se deriva ela, em parte, das comparações? Você compara a cena de você, só, na casa vazia, com a cena (fantasiada) dos outros, em celebrações cheias de risos... Essa comparação é destrutiva porque nasce da inveja. Sofra a dor real da solidão porque a solidão dói. Dói uma dor da qual pode nascer a beleza. Mas não sofra a dor da comparação. Ela não é verdadeira.

❋

ORAÇÃO

Hoje vou escrever sobre a arte de rezar. Dirão que esse não é tópico que devesse ser tratado por um terapeuta. Rezas e orações são coisas de padres, pastores e gurus religiosos, a serem ensinadas em igrejas, mosteiros e terreiros. Acontece que eu sei que o que as pessoas desejam, ao procurar a terapia, é reaprender a esquecida arte de rezar. Claro que elas não sabem disso. Falam sobre outras coisas, dez mil coisas. Não sabem que a alma deseja uma só coisa, cujo nome esquecemos. Como disse T.S. Eliot, temos conhecimento do movimento, mas não da tranquilidade; conhecimento das palavras e ignorância da Palavra. Todo o nosso conhecimento nos leva para mais perto da nossa ignorância, e toda a nossa ignorância nos leva para mais perto da morte.

A terapia é a busca desse nome esquecido. E quando ele é lembrado e é pronunciado com toda a paixão do corpo e da alma, a esse ato se dá o nome de poesia. A esse ato se pode dar também o nome de oração.

Por detrás da nossa tagarelice (falamos muito e escutamos pouco) está escondido o desejo de orar. Muitas palavras são ditas porque ainda não encontramos a única palavra que importa. Eu gostaria de demonstrar isso – e a demonstração começa com um passeio. Para começar, abra bem os olhos! Veja como este mundo é luminoso e belo! Tão bonito que Nietzsche até mesmo lhe compôs um poema:

> Olhei para este mundo – e era como se uma maçã redonda se oferecesse à minha mão, madura dourada maçã de pele de veludo fresco... Como se mãos delicadas me trouxessem um santuário, santuário aberto para o deleite de olhos tímidos e adorantes: assim este mundo hoje a mim se ofereceu...

Tudo está bem. Tudo está em ordem. Nada impede o deleite dessa dádiva. Ninguém doente. Nenhuma privação econômica terrível. E há mesmo o gostar das pessoas com quem se vive, sem o que a vida teria um gosto amargo.

Mas isso não é tudo. Além das necessidades vitais básicas a alma precisa de beleza. E a beleza – o mundo a serve a mancheias. Está em todos os lugares, na Lua, na rua, nas constelações, nas estações, no mar, no ar, nos rios, nas cachoeiras, na chuva, no cheiro das ervas, na luz que cintila na água crespa das lagoas, nos jardins, nos rostos, nas vozes, nos gestos.

Além da beleza estão os prazeres que moram nos olhos, nos ouvidos, no nariz, na boca, na pele. Como no último dia da criação, temos de concordar com o Criador: olhando para o que tinha sido feito, viu que tudo era muito bom.

E, no entanto, sem que haja qualquer explicação para esse fato, tendo todas as coisas, a alma continua vazia. Álvaro de Campos colocou esse sentimento num poema:

> *Dá-me lírios, lírios, e rosas também. Crisântemos, dálias, violetas e os girassóis acima de todas as flores. (...) Mas por mais rosas e lírios que me dês, eu nunca acharei que a vida é bastante. Faltar-me-á sempre qualquer coisa. (...) Minha dor é inútil como uma gaiola numa terra*

onde não há aves. E minha dor é silenciosa e triste como a parte da praia onde o mar não chega.

Como se uma nuvem cinzenta de tristeza-tédio cobrisse todas as coisas. A vida pesa. Caminha-se com dificuldade. O corpo se arrasta. As pessoas procuram a terapia alegando faltar um lírio aqui, uma rosa ali, um crisântemo acolá. Buscam, nessas coisas, a única coisa que importa: a alegria. Acontece que as fontes da alegria não são encontradas no mundo de fora. É inútil que me sejam dadas todas as flores do mundo: as fontes da alegria se encontram no mundo de dentro.

O mundo de dentro: as pessoas religiosas lhe dão o nome de alma. O que é a alma? Alma são as paisagens que existem dentro do nosso corpo. Nosso corpo é uma fronteira entre as paisagens de fora e as paisagens de dentro. E elas são diferentes. "O homem tem dois olhos", disse o místico medieval Angelus Silesius. "Com um ele vê as coisas que passam no tempo. Com o outro ele vê o que é eterno e divino." Em algum lugar escondido das paisagens da alma se encontram as fontes da alegria – perdidas. Perdidas as fontes da alegria, as paisagens da alma se apagam, o corpo fica como uma casa vazia. E quando a casa está vazia, vai-se a alegria. E as paisagens de fora ficam feias (a despeito de serem belas).

O mundo de fora é um mercado onde pássaros engaiolados são vendidos e comprados. As pessoas pensam que, se comprarem o pássaro certo, terão alegria. Mas pássaros engaiolados, por mais belos que sejam, não podem dar alegria. Na alma não há gaiolas.

A alegria é um pássaro que só vem quando quer. Ela é livre. O máximo que podemos fazer é quebrar todas as gaiolas e cantar uma canção de amor, na esperança de que ela nos ouça. Oração é o nome que se dá a essa canção para invocar a alegria.

Muitas orações são produtos da insensatez das pessoas. Acham que o universo estaria melhor se Deus ouvisse os seus conselhos.

Pedem que Deus lhes dê pássaros engaiolados, muitos pássaros. Nisso protestantes e católicos são iguais. Tagarelam. E nem se dão ao trabalho de ouvir. Não sabem que a oração é só um gemido. "Suspiro da criatura oprimida": haverá definição mais bonita? São palavras de Marx. Suspiro: gemido sem palavras que espera ouvir a música divina, a música que, se ouvida, nos traria a alegria.

Gosto de ler orações. Orações e poemas são a mesma coisa: palavras que se pronunciam a partir do silêncio, pedindo que o silêncio nos fale. A se acreditar em Ricardo Reis é no silêncio que existe no intervalo das palavras que se ouve a voz de "um Ser qualquer, alheio a nós", que nos fala. O nome do Ser? Não importa. Todos os nomes são metáforas para o Grande Mistério inominável que nos envolve. Gosto de ler orações porque elas dizem as palavras que eu gostaria de ter dito mas não consegui. As orações põem música no meu silêncio.

❋

SUGESTÃO

Recebi dois *e-mails* que me deram grande alegria. Um deles, de uma mulher que me falava de sua mãe. O outro, também de uma mulher, falava-me sobre sua avó. A primeira me contava de sua mãe, já velha, como eu, que estava mergulhada numa profunda melancolia. Passava os seus dias com olhar perdido. Certamente pensava no fim que se aproximava. Nunca havia lido um único livro em toda a sua vida. Na tentativa de tirar sua mãe da depressão, começou a ler para ela alguns dos meus textos. Um milagre aconteceu. Ela ressuscitou. Começou a ler e agora não queria parar de ler. A outra me contou algo semelhante. Sua avó vivia a tristeza de duas perdas: a do marido e a da filha. A neta teve a mesma ideia: começou a ler para a sua avó. O mesmo milagre aconteceu. Agora não parava de ler. O que teria acontecido? Talvez eu, velho, tivesse colocado, em palavras, coisas que estavam nas suas almas. A grande tristeza da velhice é a solidão. Lembro-me de uma tola, tentando consolar um velho de 92 anos que só vivia de saudades: "É preciso esquecer o passado! É preciso olhar para a frente!". Mas que "para a frente" existe na alma de um velho de 92 anos? Talvez uma coisa simples e barata que pode ser feita para os velhos é ler, para eles, literatura – quem sabe poesia? A literatura liberta-nos da solidão. E traz alegria.

DOR DE IDEIA?
Tome filosofia uma vez por dia

Você está com dor de dente. O dentista examina o dente e lhe diz que não tem jeito. A solução é arrancar o dente. Anestesia e boticão, o dente é arrancado. A dor desaparece. Você deixa de sofrer. Esse é um paradigma de como são resolvidos os problemas que têm a ver com coisas concretas: a lâmpada que queimou, o ralo que entupiu, a unha que encravou, o motor que fundiu, a perna que quebrou: são as dores de coisas. Dores de coisas se resolvem tecnicamente, cientificamente.

A coisa fica diferente quando a dor que você tem é uma dor de ideia. Dor de ideia dói muito. São dores de ideia a ideia de perder o emprego, a ideia de ser feio, a ideia de ser burro, a ideia de que o filho vai morrer num desastre, a ideia de que Deus vai mandá-lo para o inferno, a ideia de que quem você ama vai traí-lo. Dores de ideia são terríveis: causam ansiedade, pânico, insônia, diarreia.

Virou moda falar em realidade virtual, como coisa inventada por computadores e eletrônica. Mas ela é velhíssima. Apareceu com o primeiro pensamento. Ideias são realidades virtuais. Realidade virtual é uma coisa que parece ser mas não é. Se parece ser mas não é deve ser inofensiva. Errado. As realidades virtuais produzem dor de ideia.

Quando a gente tem uma ideia, sabe que é só ideia, sem substância física, e a despeito disso ela nos causa dor de ideia, dizemos que é neurose. O neurótico sabe que o dragão que corre atrás dele é de mentirinha, não existe. Não obstante, essa mentirinha faz a adrenalina esguichar no sangue e o coração dispara.

Liguei a TV. Filme de ficção científica. Eu sabia que tudo era mentira. Aquelas coisas não existiam como realidade. Tinham sido produzidas num estúdio, diante de uma câmara. Mas eu comecei a sofrer de dor de ideia. Uma terrível ansiedade: "Meu Deus, o escorpião negro vai picar a moça!". "Burro! Burro!", eu me dizia, num esforço de gozar o filme. "É tudo mentira! Ria! Relaxe!" Inutilmente. Nós, os humanos, temos essa horrível e maravilhosa capacidade de sofrer pelo que não existe. Somos neuróticos.

Quando uma pessoa se sente perseguida pelo mesmo dragão que perseguiu o neurótico, adrenalina no sangue e coração disparado, mas além disso fica toda chamuscada pelo fogo que sai da boca do dragão, dizemos que ela é psicótica. O psicótico não separa o virtual do real. Para ele a ideia é coisa. Pensou, é real.

Porque as dores de ideia são tão ou mais dolorosas que as dores de coisas, os homens têm estado, desde sempre, procurando técnicas para acabar com elas.

As terapias para cura de dor de ideia podem se classificar em dois grupos distintos. No primeiro grupo estão as terapias baseadas na crença de que *dor de ideia se cura com uma coisa que não é ideia.* Chá de hortelã, refresco de maracujá, as variadas misturas preparadas pelo *barman*, um cigarrinho, maconha, pó branco, os Florais de Bach, as poções e os pós sem conta da farmacologia psiquiátrica, tranquilizantes, antidepressivos, estupidificantes, sonoterapia. Essas entidades não são ideias. São coisas. Coisas para curar ideias.

Os psiquiatras ficarão bravos comigo. Eles têm raiva dos Florais de Bach – que acusam de anticientíficos. Como posso eu colocar os seus bioquímicos científicos junto aos Florais de Bach? As receitas são diferentes; os pressupostos são os mesmos: ideia se cura não com ideia mas com coisa. O fato é que o sonho da psiquiatria é ter uma botica parecida com a botica dos Florais de Bach: líquidos diferentes, em vidrinhos diferentes, possivelmente com cores diferentes, para evitar equívocos, cada um para uma dor de ideia. Raiva: líquido verde. Apatia: líquido cinza. Depressão: líquido roxo. Complexo de inferioridade: líquido azul. Medo de impotência: líquido vermelho. Eu acho que as cores variadas podem até influenciar na cura.

O outro grupo acredita diferente: *ideia se cura com ideia.* Os remédios da psiquiatria são potentes. Eu mesmo já me vali deles, com excelentes resultados. O problema são os efeitos colaterais. É possível que, passado o efeito da droga, voltem as dores de ideia. Por vezes, para tirar a dor de ideia, a pessoa fica abobalhada. E se o resultado for maravilhoso, e a pessoa ficar totalmente feliz, ela ficará também totalmente idiota. As pessoas totalmente felizes não conseguem pensar pensamentos interessantes. É preciso ter um pouquinho de dor para que o pensamento pense bonito.

(O meu voo estava sendo tranquilo. Aí, o telefone tocou. Uma voz: "Má notícia para lhe dar. Das Edições Loyola. O padre Galache morreu". Uma imensa dor de ideia. Sim, porque ao meu redor tudo continua o mesmo. É uma ideia que me dói – dor de ideia que não é para ser curada. É para ser sofrida. Saber sofrer é parte da sabedoria de viver. O padre Galache era meu amigo. Editor dos meus livros. Plantarei uma árvore para ele.)

Terapias para cura de dor de ideia. Rezas: a repetição sonambúlica do terço tem o efeito terapêutico de entupir o pensador com palavras sem sentido. Quem reza sonambulicamente não pensa: se não pensa, as dores de ideia não aparecem. Meditação transcendental. Cantar. Quem canta seus males espanta. Ah! Os maravilhosos efeitos terapêuticos dos "Corais de Bach" (note bem: "corais" e não "florais") que ouço para colocar em ordem a alma. Conversa tranquila. Confissão. Magia. Psicanálise, essa "conversa curante": só se pode chegar às ideias por meio de ideias. Filosofia. Nem toda. Há uma filosofia que me torna pesado. Afundo. É a filosofia acadêmica que se faz profissionalmente. Todos os que estão escrevendo teses de filosofia sofrem de dores de ideia. A filosofia acadêmica pode emburrecer. Se houver ocasião, falaremos sobre o assunto. Mas há uma filosofia alegre, que me faz levitar. Quer levitar? Filosofe. Para fazer levitar, a filosofia não pode nascer da cabeça. Ela tem de nascer das entranhas. Tem de ser escrita com o sangue. A gente lê e o corpo estremece: ri, espanta-se, tranquiliza-se, assombra-se. Muita filosofia, que no seu nascimento era coisa viva, sangrante, suco do pensador, nos cursos de filosofia se torna "disciplina", grão duro, sem gosto, a ser moído. O aluno é obrigado a estudar para passar nos exames. Filosofia terapêutica há de ser feita com prazer. Kolakowski, filósofo polonês, compara o filósofo a um bufão, bobo da corte, cujo ofício é fazer rir. O filosofar *amansa* as palavras: aquela cachorrada feroz que latia, ameaçava e não deixava dormir se transforma em cachorrada amiga de caudas abanantes. O filosofar ensina a surfar: de repente, a gente se vê deslizando sobre as ondas terríveis das dores de ideia. Também serve para pôr luz no escuro. Quando a luz se acende o medo se vai. Muita dor de ideia se deve à falta de luz. Os demônios fogem da luz. Wittgenstein diz que filosofia é contrafeitiço. É boa para nos livrar das dores de ideia, produtos de feitiçaria: há tantos feiticeiros e feiticeiras soltos por aí, tão bonitos: é só acreditar para ficar enfeitiçado... A filosofia nos torna desconfiados. Quem desconfia não fica enfeitiçado. Palavra de mineiro. Pois fica, assim, um convite para brincar de filosofar...

❅

SOBRE PRÍNCIPES E SAPOS

Muitos e muitos anos atrás, antes do asfalto, quando a rodovia Fernão Dias ou era um mar de pó ou um mar de lama, as viagens eram aventuras. Eu morava no interior de Minas e o jeito de vir a Campinas para ver a namorada era arranjar carona em algum caminhão. Pois foi numa dessas vezes que o motorista, delicadamente, para início de uma conversa que prometia ser muito longa, me perguntou: "E o que é que você faz?". Eu poderia ter dito simplesmente: "Sou professor". Isso ele entenderia perfeitamente, pois já havia frequentado escolas, sabia muitas coisas sobre professores, e passaria então a contar de suas proezas na aritmética e suas dificuldades com a língua pátria. Mas eu, inexperiente e tolo, e para dar um ar de importância, respondi: "Sou professor de filosofia...". O rosto do motorista se iluminou num largo sorriso. "Até que enfim", ele disse. "Faz anos que eu quero saber o que é filosofia e até hoje não encontrei ninguém que me explique. Mas hoje tenho a sorte de ter um professor de filosofia como companheiro de viagem. Hoje vou ter a explicação. Afinal de contas, o que é filosofia?"

Não tenho memória alguma do que lhe disse como inútil explicação. Mas o seu sorriso me volta sempre que revelo a alguém que sou psicanalista. Porque inevitavelmente vem a mesma pergunta: "E o que é psicanálise?". Os mais sabidos, que já ouviram ou leram sobre o assunto, dispensam introduções e vão logo ao exame de posições: "E qual é a linha que o senhor segue?" – me dá logo vontade de dizer que prefiro as curvas às retas – no que não estaria sendo infiel ao espírito da psicanálise, onde a curva é sempre o caminho mais curto entre dois pontos. Mas sei que não entenderiam, pois o que querem saber é se sou freudiano, kleiniano, bioniano, junguiano, lacaniano etc. etc. Acontece que esse não é o meu jeito. Preferindo as curvas às retas, sigo o conselho de Guimarães Rosa: só dou respostas para perguntas que ninguém nunca perguntou. E assim, meio num estilo oriental, meio num estilo evangélico, conto uma estória:

> Era uma vez um príncipe de voz maravilhosa que encantava todas as criaturas que o ouviam. Seu canto era tão belo que seduziu até a bruxa que morava na floresta negra e que por ele também se apaixonou. Mas, diferente de todos os outros, que se sentiam felizes só de ouvir, ela resolveu cantar também. *Que lindo dueto faremos*, ela pensou. E logo se pôs a cantar. Acontece, entretanto, que bruxas não conseguem cantar afinado. Bastava que ela abrisse a boca para que dela saíssem os sons mais bizarros, que soavam como o coaxar de sapos e rãs. A vaia foi geral. A bruxa se encheu de uma inveja raivosa e lançou contra ele o mais terrível dos feitiços: *Se não posso cantar como você canta, farei com que você cante como eu canto*. E o príncipe foi transformado num sapo. Envergonhado de sua nova forma, ele fugiu e se escondeu no fundo da lagoa, onde moravam os sapos e rãs. Ele ficou em tudo parecido aos batráquios. Menos numa coisa. Continuou a cantar tão bonito quanto sempre cantara. Mas desta vez quem não gostou do canto do novo sapo foram os sapos e as rãs que só sabiam coaxar. O canto novo soava aos seus ouvidos como coisa de outro mundo, que perturbava a concordância de sua monotonia sapal. Severos, advertiram: *Quem mora com rãs e sapos tem de coaxar como rãs e sapos*. O príncipe-sapo fez cessar o seu canto e não teve alternativas: teve de aprender a coaxar como todos os outros faziam. E tanto repetiu que acabou por se esquecer das canções de outrora. Não, não se esqueceu não... Porque, quando dormia, ele se lembrava e ouvia a música antiga proibida

que continuava a se cantar dentro dele. Mas quando ele acordava, se esquecia. Mas não de tudo. Ficava numa saudade indefinível. Saudade, ele não sabia bem de quê. Saudade que lhe dizia que ele estava longe, muito longe do lar...

Esse é o resumo da psicanálise, tal como eu a entendo. É uma estória em que se misturam o amor, a beleza e o feitiço do esquecimento. Decepcionaram-se? Esperavam nomes famosos, conceitos complicados – e ao invés disso eu conto uma estória de fadas. *Palavras para fazer as crianças dormirem,* dirão. Mas eu acrescento: *É para fazer os adultos acordarem...* A psicanálise é uma luta para quebrar o feitiço da palavra má que nos fez adormecer e esquecer a melodia bela. É um ouvir atento de uma canção que só se ouve no intervalo do silêncio do coaxar dos sapos, e que nos chega como pequenos e fugazes fragmentos desconexos. É uma batalha para nos fazer retornar ao nosso destino, inscrito nas funduras do mar da alma.

Li os clássicos. Mas foi pela palavra dos anônimos contadores de estórias de encantamento e no encantamento da palavra dos poetas que a letra morta ficou coisa viva. Melhor do que eu, diz esses segredos do corpo e da alma Fernando Pessoa. Leia estes versos. Mas leia devagar. Leia de novo. É do nosso mistério que ele fala. É o nosso mistério que ele invoca:

Cessa o teu canto!
Cessa, que, enquanto o ouvi,
ouvia uma outra voz
como que vindo nos interstícios
do brando encanto
com que o teu canto vinha até nós.
Ouvi-te e ouvi-a

*no mesmo tempo e diferentes
juntas a cantar.
E a melodia que não havia se agora a lembro faz-me chorar.*

E ele pergunta:

*Foi tua voz encantamento que,
sem querer, nesse momento
vago acordou um ser qualquer alheio a nós que nos falou?*

Será isto? Em nós mora um outro? Nos interstícios do coaxar, uma canção? Que outro é este?

*Que anjo, ao ergueres a tua voz,
sem o saberes,
veio baixar sobre esta terra onde a alma erra,
e com as asas soprou as brasas de ignoto lar?*

Mora em nós um outro que não se esquece da nossa verdade...

Alguns pensam que psicanálise e poesia são coisas de loucos. Tem até o ditado: *De poeta e de louco todo mundo tem um pouco.* Os sapos e as rãs, ao ouvirem as canções do príncipe poeta, só poderiam ter dito: *É poeta! É louco!* E trataram de curá-lo, educando-o para a realidade. Para eles ser normal é coaxar como todos coaxam. Mas a alma, em meio à ruidosa monotonia da vida, continua a ouvir uma voz que vem nos intervalos. Continua a chorar ao ouvir uma melodia que não havia. Continua a ouvir a fala de um estranho que mora em nós, e que nos visita nos sonhos.

Continua a ser queimada pelas brasas da saudade de um lar esquecido, do qual estamos exilados.

É bem possível que os sapos e as rãs vivam mais tranquilos. Para eles todas as questões já estão resolvidas.

Mas existe uma felicidade que só mora na beleza. E esta a gente só encontra na melodia que soa, esquecida e reprimida, no fundo da alma.

✺

A CEGUEIRA

Gosto de ver aquários, especialmente os marinhos, com suas formas surpreendentes e coloridas, peixes azuis, amarelos, vermelhos, lisos, listrados, pintados, anêmonas, medusas. Os olhos se espantam com tanta beleza, tanta variedade de formas. O Criador tem que ter sido um brincalhão... Uma amiga colocou um pedaço do mar na sua casa, dividindo duas salas: um enorme aquário marinho. Lá, luzes apagadas, somente as luzes do aquário acesas, tudo fica calmo. Um aquário marinho, para que serve? Para nada. Não possui utilidade alguma. Peixes de aquário não são para ser comidos. Os aquários são para ser vistos. Aquários são belos. Os olhos se alimentam de beleza.

Fico com pena dos cegos. Eles não podem ver os peixes. Tempos atrás imaginei pela primeira vez a possibilidade da cegueira. Sem aviso prévio apareceu, dentro de um dos meus olhos, uma mancha negra. Ela se movia como se fosse um pingo de tinta nanquim na água. De fora ela não aparecia. Estava dentro. Percebi que era coisa séria. Corri para o João Alberto, oftalmo meu amigo. Ele olhou dentro do meu olho com aqueles aparelhos de última geração e disse: "Rasgo na retina. Cirurgia". "Quando?", perguntei. "Agora", ele respondeu. E lá fui eu para a sala de costura, para ter minha retina costurada a laser. A costura ficou boa. Estou vendo direito. Mas comecei a pensar no milagre delicado da visão. É sempre possível ficar cego. Aconteceu com Jorge Luis Borges, no fim de sua vida. Um dos seus ensaios mais fascinantes é sobre a cegueira, as cores que os cegos veem. Saramago fez da cegueira o tema central de um dos seus livros: uma cidade na qual todos os moradores vão ficando cegos. Cegueira é triste. Ver é uma felicidade.

Os poemas bíblicos que relatam a Criação contam que, ao fim de cada dia de trabalho, Deus se alegrava com a felicidade de ver. "E viu Deus que era bom": esse é o refrão que vai se repetindo. No Paraíso, diz Bachelard, "todos os seres são puros porque belos". O mundo foi criado para a beleza. "O mundo não se fez para pensarmos nele, mas para olharmos e estarmos de acordo", diz Alberto Caeiro. Bem observou Nicolas Berdiaeff, filósofo místico russo, que no Paraíso não há ética, só há estética. No Paraíso, a bondade se confunde com a beleza. Com o que concorda o filósofo chinês Hui-Neng, de não sei quantos séculos atrás: "O sentido da vida é ver". Quem sabe ver reencontra o Paraíso.

Do ponto de vista anatômico e fisiológico, a visão é o mais simples dos sentidos. Na sala de espera dos oftalmologistas há aqueles pôsteres com cortes transversais do olho, em que a anatomia e a fisiologia do ver são explicadas. Tudo se passa como numa câmara fotográfica. A luz vem de fora, atravessa uma lente e projeta a imagem no fundo do olho. Tendo olhos bons, todos veem igual.

Veem igual? Veem nada. Ver é muito complicado. Não basta ter bons olhos para ver. "Não é bastante não ser cego para ver as árvores e as flores", dizia Alberto Caeiro. Édipo tinha olhos perfeitos e não via nada. Tirésias era cego e era o único que via com clareza. William Blake, num curto aforismo, afirma: "A árvore que o tolo vê não é a mesma árvore que o sábio vê". Mas como? A tolice e a sabedoria nos fazem ver diferente? As ideias interferem no ver? Caeiro diz que sim: "Pensar é estar doente dos olhos". E, num outro lugar, afirma que para ver com clareza "é preciso não ter filosofia nenhuma". Quem explica é Bernardo Soares: "Não vemos o que vemos; vemos o que somos". Naquilo que vemos estão escondidas as linhas do nosso próprio rosto. "Os olhos são as lâmpadas do corpo", disse Jesus. "Se as lâmpadas derem luz clara, o mundo será colorido. Se as lâmpadas derem luz trevosa, o mundo será tenebroso." O que vemos é o mundo arranjado à nossa imagem e semelhança. O Paraíso é o rosto visível de Deus. Uma companhia de cerveja colocou um divertido e inteligente comercial na televisão. Um moço entra num bar. No bar tudo é sinistro. As pessoas são tipos mal-encarados. O *barman* é grosseiro, disforme e feio. O moço olha desconfiado para os lados. Pede uma cerveja. Dá um gole – e então, o milagre: tudo se transforma. O bar fica alegre, todo mundo sorri, e o *barman* carrancudo se transforma numa moça linda. A teoria implícita no comercial é que a gente vê segundo o que está dentro. Bebendo alegria, o mundo fica alegre. Quando estamos deprimidos, é sempre dia chuvoso de inverno, mesmo que o Sol esteja brilhando. Quando não estamos deprimidos, até o dia chuvoso de inverno fica gostoso.

Os poemas bíblicos dizem que no Paraíso o homem e a mulher eram felizes. Aí aconteceu algo que estragou tudo: os olhos deles ficaram perturbados. Antes, seus olhos apenas viam. Nem precisavam pensar, porque a beleza enchia a alma. De repente os olhos deles se alteraram. O homem olhou desconfiado para a mulher, a mulher olhou desconfiada para o homem, e aquilo que antes era puro e belo ficou feio. À nudez, dantes bela, acrescentou-se uma palavra ruim: vergonha. A vergonha nasce de um pensamento: a gente olha para o outro e imagina que ele está rindo da gente. Pode ser que o outro nem esteja pensando isso. Mas na minha imaginação ele está rindo de mim. Meu ser se altera. Esconde-se. O olhar altera o ser. Adão e Eva se alteraram. Tiveram vergonha de seus corpos. E fizeram tangas de folhas. O "vergonhoso" foi condenado a ser esquecido.

Os mitos são relatos de coisas que não aconteceram nunca porque acontecem sempre. Esse poema é o nosso retrato. Nossos olhos puros foram enfeitiçados pelo olho mau de um "outro" que me observa. Álvaro de Campos lamenta: "Sou o intervalo entre o meu desejo e aquilo que os desejos dos outros fizeram de mim". Perseguido pelos olhos dos outros, nosso olho bom fica cego.

Místicos e poetas sabem que o Paraíso está espalhado pelo mundo – mas não conseguimos vê-lo com os olhos que temos. Para isso seria necessário que nossa cegueira fosse curada. O zen-budismo fala da necessidade de "abrir o terceiro olho". De repente a gente vê o que não via! Não se trata de ver coisas extraordinárias: anjos, aparições, espíritos, seres de um outro mundo. Trata-se de ver esse nosso mundo sob uma nova luz. Foi isso o que aconteceu com o operário, do poema do Vinicius. Perdido no seu trabalho, construindo casas e apartamentos, ele via tudo mas não via nada. Até que um dia, uma coisa extraordinária aconteceu:

De forma que, certo dia
à mesa, ao cortar do pão
o operário foi tomado
de uma súbita emoção
ao constatar, assombrado
que tudo naquela mesa
– garrafa, prato, facão
era ele quem fazia
ele, um humilde operário,
um operário em construção.
(...) Naquela casa vazia
que ele mesmo levantara
um mundo novo nascia
de que nem sequer suspeitava.

*O operário emocionado
olhou sua própria mão
sua rude mão de operário
e olhando bem para ela
teve um segundo a impressão
de que não havia no mundo
coisa que fosse mais bela.
E o operário adquiriu então
uma nova dimensão:
a dimensão da poesia.*

Os poetas e místicos sempre souberam disso, intuitivamente. Eles sabem que a beleza salva. Fairbairn disse num dos seus textos que a vocação da psicanálise era exorcizar demônios. Certo. E eu acrescento: e abrir os olhos aos cegos. Demônios causam sempre perturbações visuais... A psicanálise é uma teoria sobre a cegueira e uma busca da experiência que faz os olhos abrirem. Para que as pessoas possam ver, em meio às coisas que sempre viram e que formam o seu cotidiano, fragmentos do Paraíso perdido – tal como aconteceu com o operário. E quando isso acontece, o ser da pessoa se transforma. Porque a ele se acrescenta "uma nova dimensão: a dimensão da poesia".

❋

É MELHOR NÃO COMPARECER AO ENCONTRO...

Há uma pergunta que, quando feita a um poeta ou escritor, dói mais que picada de escorpião. A mim, pessoalmente, nunca fizeram. Mas fizeram a amigos meus. "Ele é do jeito mesmo como ele escreve?" É uma pergunta nascida do amor: acharam bonitas as coisas que escrevi e agora estão curiosos para saber se me pareço com o que escrevo. Como disse, nunca me fizeram a pergunta, diretamente. Mas eu respondo. "Não, eu não sou igual ao que escrevo." Sou um fingidor.

Quem disse isso, que o poeta é um fingidor, foi Fernando Pessoa:

O poeta é um fingidor.
Finge tão completamente
Que chega a fingir que é dor
A dor que deveras sente.

Fingir é palavra feia. Sugere uma mentira, com o intuito de enganar. No mundo de Fernando Pessoa ela tem um outro sentido. Fingimento é aquilo que faz o ator no teatro: para representar ele tem de "fingir" sentimentos que não são dele. E finge tão completamente, que sente, realmente, uma dor que não é dele, mas de um personagem fictício, ausente. Assim é o poeta. Como pessoa comum, ele sofre. Essa pessoa sofredora não sabe escrever poemas. Ela só sabe sofrer. Mas nessa pessoa que sofre mora um outro, o poeta, seu duplo, heterônimo. Esse poeta olha para si mesmo, sofredor, e "finge": deixa-se possuir por aquela dor que é dele como se fosse de um outro: "chega a fingir que é dor a dor que deveras sente".

Sou um fingidor. O que escrevo é melhor que eu. Finjo ser um outro. O texto é mais bonito que o escritor. Fernando Pessoa se espantava com isso. Ele tinha clara consciência de que ele era muito pequeno quando comparado com a sua obra. Num dos seus poemas ele diz o seguinte:

Depois de escrever, leio... Por que escrevi isto? Onde fui buscar isto? De onde me veio isto? Isto é melhor do que eu...

Vinha-lhe então a suspeita de que aquilo que ele escrevia não era obra dele, mas de um outro:

Seremos nós neste mundo apenas canetas com tinta com que alguém escreve a valer o que nós aqui traçamos?

Contaram-me que ele, Fernando Pessoa, certa vez, aceitou encontrar-se com Cecília Meireles, e marcaram lugar, data e hora para o dito encontro. Cecília compareceu e esperou. Pessoa não foi e mandou, no seu lugar, um menino com uma desculpa esfarrapada. Esse incidente sempre me intrigou. Será que Pessoa era um grosseiro indelicado? Depois, lendo o *Livro do desassossego*, de Bernardo Soares, encontrei uma curta afirmação que esclareceu tudo: "Nunca pude admirar um poeta que me foi possível ver". Ao marcar o encontro com Cecília, movido por delicadeza ou entusiasmo, ele se esquecera disso. Foi só na hora que se lembrou. Cecília amava os seus poemas. Na ausência, certamente, fizera aquilo que todos fazem: imaginou que o poeta se parecia com os seus poemas. Agora, em algum hotel de Lisboa, ela se preparava para se encontrar com a beleza dos poemas na sua forma viva, verbo feito carne. A decepção seria muito grande. "Nunca pude admirar um poeta que me foi possível ver." Assim, para poupar Cecília da decepção, ele preferiu não aparecer.

Àqueles que fazem essa pergunta a meu respeito, que imaginam que eu possa ser parecido com o que escrevo, aconselho: "Não compareçam ao encontro. Fiquem com o texto".

Não é mentira, não é falsidade: a poesia é sempre assim. A poesia não é uma expressão do *ser* do poeta. A poesia é uma expressão do *não ser* do poeta. O que escrevo não é o que tenho; é o que me falta. Escrevo porque tenho sede e não tenho água. Sou pote. A poesia é água. O pote é um pedaço de *não ser* cercado de argila por todos os lados, menos um. O pote é útil porque ele é um vazio que se pode carregar. Nesse vazio que não mata a sede de ninguém pode-se colher, na fonte, a água que mata a sede. Poeta é pote. Poesia é água. Pote não se parece com água. Poeta não se parece com poesia. O pote contém a água. No corpo do poeta estão as nascentes da poesia.

Escher, o desenhista mágico holandês, tem um desenho chamado *Poça de água*: numa estrada encharcada pela chuva um caminhão deixou as marcas dos seus pneus, onde a água barrenta se empoçou. Coisas feias e sujas, as marcas dos pneus de um caminhão, cheias de água barrenta: nenhum turista seria tolo de fotografar uma delas, quando há tantas coisas coloridas para serem fotografadas. Pois Escher desenhou uma delas. E o que ele viu é motivo de espanto: na superfície de lama suja, refletidas, as copas dos pinheiros contra o céu azul.

Pensei que o poeta é isso: poça de lama onde se reflete algo que ela mesma não contém. A copa dos pinheiros contra o céu azul não está dentro da lama, não é parte do *ser* da poça de lama. Apenas reflexo: mora no seu *não ser*.

Pensei que assim é o poeta: poça de lama onde o céu se reflete.

Nietzsche, escrevendo sobre a poesia de Ésquilo, diz que ela "é apenas uma imagem luminosa de nuvens e céu refletida no lago negro da tristeza". E Fernando Pessoa, no poema daquele verso que todo mundo canta – *Valeu a pena? Tudo vale a pena/ se a alma não é pequena* –, diz o seguinte: *Deus ao mar o perigo e o abismo deu, mas nele é que espelhou o céu.* É essa contradição: o céu se fazendo visível, refletido, na poça de lama, no lago negro da tristeza, no perigo e no abismo do mar.

Não. Não escrevo o que sou. Escrevo o que não sou. Sou pedra. Escrevo pássaro. Sou tristeza. Escrevo alegria. A poesia é sempre o reverso das coisas. Não se trata de mentira. É que nós somos corpos dilacerados – "oh! pedaço arrancado de mim!". O corpo é o lugar onde moram as coisas amadas que nos foram tomadas, presença de ausências, daí a saudade, que é quando o corpo não está onde está... O poeta escreve para invocar essa coisa ausente. Toda poesia é um ato de feitiçaria cujo objetivo é tornar presente e real aquilo que está ausente e não tem realidade.

Enquanto pensava sobre esta crônica ouvi, por acaso, aquela balada que diz: "Like a bridge over troubled waters" – "como uma ponte sobre águas revoltas...". Letra e música sempre me comoveram. Na liturgia do casamento do meu filho Sérgio com a Carla, liturgia que preparei, pedi ao Décio, cirurgião pianista, que tocasse essa canção: pois isso é o máximo que alguém pode ser para a pessoa amada: ponte sobre águas revoltas. Pensei, então, que eu sou "águas revoltas" (onde eu mesmo quase me afogo). O que escrevo é uma ponte de palavras que tento construir para atravessar o rio.

Assim, considero respondida a pergunta: não sou igual ao que escrevo. Guardem o conselho de Fernando Pessoa. É mais seguro não comparecer ao encontro.

※

OBLÍQUO

Não tenho problemas com Deus. Mas tenho muitos problemas com aquilo que os homens pensam sobre Deus.

❋

DROPES: AUTORES

Dostoievski observou que os seres humanos não estão à procura de Deus; estão à procura do milagre. Deus é o objeto mágico que, se propriamente manipulado, faz a minha vontade, realiza o meu pedido. Traduzindo em linguagem grosseira: não é ela ou ele que eu desejo, ao me casar. No mundo do "eu-tu", o outro ouve atentamente e acolhe o tu como parte de si mesmo. Pode ser um cachorro, uma árvore, uma criança, um ancião, até mesmo o chefe... E, ao assim me relacionar, um mundo humano é criado ao meu redor, mundo em que as entidades não são objetos de uso, mas objetos de prazer. Eu inclusive. Buber conclui sua filosofia dizendo que Deus não está aqui, não está ali; Deus está "entre", na relação, no hífen... Deus se encontra no espaço misterioso e invisível da relação.

Da Vinci afirmava que só se pode amar aquilo que se conhece.

Eu, presunçoso, afirmo que só se pode conhecer aquilo que se ama.

❋

MEU TIPO INESQUECÍVEL

Santo Agostinho, nas suas *Confissões*, conta dos seus pecados da juventude, entre eles o seu deleite no furto. Furtava peras azedas do pomar de um vizinho quando, no seu próprio pomar, havia peras doces. É que ele não estava à procura de peras. O seu deleite estava no próprio ato de furtar. Agostinho confessava seu pecado, arrependido. Mas confissões nem sempre implicam arrependimento. É o caso de Picasso, que afirmou, com um sorriso malicioso: "Se existe algo que possa ser roubado, eu roubo". De fato, roubar é algo deleitoso. Eu, mais tímido, só me lembro de um modesto roubo de pitangas, já confessado publicamente sem arrependimento. Pecado grave vou confessar agora, também sem arrependimento, muito embora me sinta coberto de vergonha: quando adolescente, a minha leitura favorita, afora o *Globo Juvenil*, o *Gibi* e o *X-9*, de que não me envergonho, era a *Seleções* do *Reader's Digest*. Engolia tudo sem ter a menor ideia de que aquilo era propaganda da *american way of life*, que, diga-se de passagem, tem coisas deliciosas e boas. Pois dentre os artigos havia uma série com o título "O meu tipo inesquecível". Era sempre um relato sobre alguma pessoa diferente – por isso que se chamava "tipo" –, tão diferente e sedutora que era "inesquecível".

Pois hoje quero falar sobre um dos meus tipos inesquecíveis. É um pedreiro. Ah! Que injustiça: definir uma pessoa dizendo qual é a sua profissão. Esse é o jeito corriqueiro, bem sei. Sou pedreiro, sou físico, sou padre, sou motorista, sou psicanalista – assim vamos perpetuando essa perversa equação entre o "ser" e o "fazer", sem nos darmos conta de que o "fazer" é apenas um pedacinho de praia nesse mar imenso que é a alma humana. Não. O seu João Januário sabe ser pedreiro, pedreiro muito bom, dos melhores que já conheci. Mas pedreiros bons há muitos. Bons pedreiros são todos iguais. O que me interessa no seu João não é especificamente a sua ciência de construtor. É a sua sabedoria. Eu podia ficar jogando papo fora com ele por horas a fio, sem nunca me cansar. Eu estava sempre aprendendo. Quando não estava aprendendo estava me divertindo. Quando não estava me divertindo estava me comovendo, como, por exemplo, ao ver a primeira coisa que ele fazia ao chegar à minha casa: pegava a peneira da piscina e salvava todas as abelhas que estavam se afogando. Foi numa dessas ocasiões que lhe contei a estória de um homem pecador dos piores que foi salvo do inferno por uma única aranha que ele havia salvado: ela se compadeceu dele e jogou, no abismo escuro, um fino fio pelo qual ele subiu. Aí ele redobrou seu cuidado com as abelhas, muito embora eu tenha certeza de que se ele não for para o céu é possível que as privadas de lá se entupam sem que ninguém saiba como desentupi-las. Será que eu disse heresia? No céu há privada? Deve haver. Claro que há. Onde há comida tem de haver privada, e está dito que no céu vai haver um grande banquete. Só que, no céu, tudo é perfumado e bonito. Posso até imaginar que as nuvens branquinhas sejam o que sai dos anjinhos novinhos, as nuvens cor-de-rosa, o que sai dos anjos apaixonados, as nuvens negras, o que sai dos anjos trevosos. Eu e o seu João conversávamos sobre essas profundas questões metafísicas, com a seriedade própria de dois meninos, o que me faz lembrar a definição definitiva de Nietzsche sobre a maturidade como aquela condição em que recuperamos a seriedade que as crianças têm ao brincar.

Voltando às privadas. Aconteceu que uma privada da minha casa ficou entupida e inúteis foram todos os artifícios comuns aplicados em tais eventualidades. Eu já tinha perdido a esperança e me preparava para mandar arrancar a privada quando o seu João disse, tranquilamente: "Desentope com extintor de incêndio...". Assustei-me. Achei que fosse brincadeira. Mas ele confirmou sério e acrescentou: "Daqueles que têm uma mangueira de borracha". Aluguei um extintor, ele enfiou o tubo dentro da privada, calçou muito bem com sacos, segurou firme e disse: "Dê só uma beliscadinha no gatinho". Foi *vapt-vupt*. A privada desentupiu.

Mas a sabedoria dele era ampla, coisa inimaginável. Estávamos, os dois, chupando umas jabuticabas que já estavam ficando difíceis de apanhar, lá na ponta dos galhos finos, as mais doces. Lamentei deixá-las para os morcegos. Ele observou: "Aquelas jabuticabas na ponta dos galhos, a gente apanha com um cano de pvc". Dito isso pôs-se a andar pelo quintal, à procura do tal cano que ele logo trouxe. Levou o cano até uma gorda e distante jabuticaba, encaixou-a no oco do cano, deu uma chuchada, e esperou que ela escorregasse cano abaixo, até cair na sua mão que, em concha, a esperava na saída do cano.

Mas a maior virtude do seu João era a literatura. Não literatura escrita: literatura oral, fantástica, grande contador de casos impossíveis. Relatou, por exemplo, que, quando era criança, morava numa cidadezinha no alto de uma colina, lugar onde não passavam nem rio nem ribeirão; houve uma chuvarada horrenda, temporal nunca visto; acabado aquele anúncio de fim de mundo, a meninada foi brincar na enxurrada, coisa deliciosa – os adultos bem que morrem de vontade, não brincam por pura vergonha, coitados, pois o seu João contou e jurou ser verdade que na enxurrada vinham peixes endurecidos, cobertos de gelo, que foram catados, escamados, fritos e comidos. Pensei numa repetição do milagre do maná que Jeová fazia chover no deserto sobre o povo faminto, mas milagres como aquele parece que não acontecem mais; descri, ri, caçoei do seu João, lorota de pescador. Aí, falando sobre o tal *causo* com um ilustre professor de física da Unicamp cujo nome não vou revelar para que ele não caia em descrédito, ele me disse que ele mesmo já havia presenciado portento parecido, só que não eram peixinhos mas sapinhos congelados. E logo me ofereceu uma teoria meteorológica para explicar o milagre – quem sabe o professor Sabatini, que fala sempre sobre as maravilhas da ciência, poderia lançar um pouco de luz sobre o caso. O que seria irrelevante para o *causo* do seu João, pois literatura não se faz com acontecidos ou por acontecer mas com o maravilhoso, o fantástico, tal como escreveu o Saramago, fazendo voar a passarola de Bartolomeu de Gusmão, o padre voador, à custa das vontades dos homens morrentes que a vidente Blimunda engarrafava no momento mesmo em que deixavam o corpo dos moribundos em campos de batalha e de peste. Se o Saramago pode, o seu João pode também.

Depois foi o caso das seriguelas, frutinhas amarelas lindas que recebi de presente pelo correio da Maria Antônia, ex-aluna poetisa. Foi o início de um outro *causo*. Seu João disse que os pés de seriguela crescem nas margens dos rios, sendo grandemente apreciados pelos pintados, peixes enormes. Aí ele relatou um acontecido maravilhoso. Estavam ele e uns companheiros numa praia de rio, pescando descuidados, deitados à sombra de uma seriguela e se deleitando com seus doces frutos amarelos. Não sabiam que aquela árvore e seus frutos eram propriedade particular de um enorme pintado que, vendo assim invadidos os seus domínios por tão desavergonhados gatunos, irou-se do outro lado do rio onde havia ido visitar a namorada, e veio num nado furioso na direção dos ladrões. "Aí, seu Rubem, quando ele chegou perto, saltou pra fora do rio e deu uma rabanada tão forte na água que ficamos todos ensopados." Eu nada disse, sabedor de que os *causos* do seu João são sempre verdadeiros. Apenas lhe ofereci uma seriguela, não sem antes me certificar de que não havia nenhum pintado nas proximidades.

※

SOBRE SIMPLICIDADE E SABEDORIA

Pediram-me que escrevesse sobre simplicidade e sabedoria. Aceitei alegremente o convite sabendo que, para que tal pedido me tivesse sido feito, era necessário que eu fosse velho.

Os jovens e os adultos pouco sabem sobre a simplicidade. Os jovens são aves que voam pela manhã: seus voos são flechas em todas as direções. Seus olhos estão fascinados por dez mil coisas. Querem todas, mas nenhuma lhes dá descanso. Estão sempre prontos a de novo voar. Seu mundo é o mundo da multiplicidade. Eles a amam porque, nas suas cabeças, a multiplicidade é um espaço de liberdade.

Com os adultos acontece o contrário. Para eles, a multiplicidade é um feitiço que os aprisionou, uma arapuca na qual caíram. Eles a odeiam, mas não sabem como se libertar. Se, para os jovens, a multiplicidade tem o nome de liberdade, para os adultos, a multiplicidade tem o nome de dever. Os adultos são pássaros presos nas gaiolas do dever. A cada manhã, dez mil coisas os aguardam com as suas ordens escritas nas agendas.

No crepúsculo, quando a noite se aproxima, o voo dos pássaros fica diferente. Já observaram o voo das pombas ao fim do dia? Elas voam numa única direção. Voltam para casa, ninho. As aves, ao crepúsculo, são simples. Simplicidade é isto: quando o coração busca uma coisa só.

Jesus contava parábolas sobre a simplicidade. Falou sobre um homem que possuía muitas joias, sem que nenhuma delas o fizesse feliz. Um dia, entretanto, descobriu uma joia, única, maravilhosa, pela qual se apaixonou. Fez então a troca que lhe trouxe alegria: vendeu as muitas e comprou a única.

Na multiplicidade nos perdemos: ignoramos o nosso desejo. Movemo-nos fascinados pela sedução das dez mil coisas. Acontece que, como diz o segundo poema do *Tao Te Ching*, "as dez mil coisas aparecem e desaparecem sem cessar". O caminho da multiplicidade é um caminho sem descanso. Cada ponto de chegada é um ponto de partida. Cada reencontro é uma despedida.

O caminho da ciência e dos saberes é o caminho da multiplicidade. Adverte o escritor sagrado: "Não há limite para fazer livros, e o muito estudar é enfado da carne" (Eclesiastes 12:12). Não há fim para as coisas que podem ser conhecidas e sabidas. O mundo dos saberes é um mundo de somas sem fim. É um caminho sem descanso para a alma. Não há saber diante do qual o coração possa dizer: "Cheguei, finalmente, ao lar". Saberes não são lar. O lar pertence à simplicidade: uma única coisa.

Diz o *Tao Te Ching*: "Na busca do conhecimento a cada dia se soma uma coisa. Na busca da sabedoria a cada dia se diminui uma coisa". Pergunta T.S. Eliot: "Onde está a sabedoria que perdemos no conhecimento?". E Manoel de Barros observa: "Quem acumula muita informação perde o condão de adivinhar. Sábio é o que adivinha".

A sabedoria é a arte de reconhecer e degustar a alegria. Nascemos para a alegria. Não só nós. Diz Bachelard que o universo inteiro tem um destino de felicidade.

O Vinicius escreveu um lindo poema com o título de "Resta...". Já velho, tendo andado pelo mundo da multiplicidade, ele olha para trás e vê o que restou: o que valeu a pena. "Resta esse coração queimando como um círio numa catedral em ruínas... Resta, acima de tudo, essa capacidade de ternura... Resta esse antigo respeito pela noite... Resta essa vontade de chorar diante da beleza...". Vinicius vai, assim, contando as vivências que lhe deram alegria. Foram elas que restaram.

As coisas que restam sobrevivem num lugar da alma que se chama saudade. A saudade é o bolso onde a alma guarda aquilo que ela provou e aprovou. Aprovadas foram as experiências que deram alegria. O que valeu a pena está destinado à eternidade. A saudade é o rosto da eternidade refletido no rio do tempo. É para isso que necessitamos dos deuses, para que o rio do tempo seja circular: "Lança o teu pão sobre as águas porque depois de muitos dias o encontrarás...". Oramos para que aquilo que se perdeu no passado nos seja devolvido no futuro. Acho que Deus não se incomodaria se nós o chamássemos de Eterno Retorno: pois é só isso que pedimos dele, que as coisas da saudade retornem.

Ando pelas cavernas da minha memória. Há muitas coisas maravilhosas: cenários, lugares, alguns paradisíacos, outros estranhos e curiosos, viagens, eventos que marcaram o tempo da minha vida, encontros com pessoas notáveis. Mas essas memórias, a despeito do seu tamanho, não me fazem nada. Não sinto vontade de chorar. Não sinto vontade de voltar.

Aí eu consulto o meu bolso da saudade. Lá se encontram pedaços do meu corpo, alegrias. Observo atentamente, e nada encontro que tenha brilho no mundo da multiplicidade. São coisas pequenas, que nem foram notadas por outras pessoas: cenas, quadros: um filho menino empinando uma pipa na praia; noite de insônia e medo num quarto escuro, e do meio da escuridão a voz de um filho que diz: "Papai, eu gosto muito de você!"; filha brincando com uma cachorrinha que já morreu (chorei muito por causa dela, a Flora); menino andando a cavalo, antes do nascer do Sol, em meio ao campo perfumado de capim-gordura; um velho, fumando cachimbo, contemplando a chuva que cai sobre as plantas e dizendo: "Veja como estão agradecidas!". Amigos. Memórias de poemas, de estórias, de músicas.

Diz Guimarães Rosa que "felicidade só em raros momentos de distração...". Certo. Ela vem quando não se espera, em lugares que não se imaginam. Dito por Jesus: "É como o vento: sopra onde quer, não sabes donde vem nem para onde vai...". Sabedoria é a arte de provar e degustar a alegria, quando ela vem. Mas só dominam essa arte aqueles que têm a graça da simplicidade. Porque a alegria só mora nas coisas simples.

SOBRE A INVEJA

Examinei cuidadosamente as cavernas da memória onde guardo minhas recordações de infância. Não encontrei nada, absolutamente nada, que se parecesse com uma memória infeliz. Memórias de dor, isso encontrei, a começar pelo nome da cidade onde nasci, que naquele tempo se chamava "Dores da Boa Esperança". Parece que os moradores ficaram com vergonha de se denominar "dorenses", e trataram de se livrar da dor, ficando só com a "boa esperança", esquecendo-se de que, por vezes, a esperança só se realiza através da dor, como é o caso do parto. Meu rol de dores incluía dores de dente, dor de queimaduras, dor de quedas, de ferimentos, de barriga. Mas dor e infelicidade são coisas diferentes. Há dores que são felizes.

As razões da minha felicidade? Parodiando o Drummond, escrevo: "As sem-razões da felicidade". Razões para ser feliz, eu não tinha. Meu pai tinha perdido tudo. Morávamos numa fazenda velha que um cunhado emprestara ao meu pai. Não tinha luz elétrica: de noite acendiam-se as lamparinas de querosene com sua chama vermelha, sua fuligem negra, e seu cheiro inconfundível. Não tinha água dentro de casa: minha mãe ia buscar água na mina com uma lata de óleo vazia. Não tinha chuveiro: tomávamos banho de bacia com água aquecida no fogão de lenha. Não tinha forro: de noite víamos os ratos correndo nos vãos das telhas. Não tinha privada: o que havia era a clássica "casinha", do lado de fora. E eu não tinha brinquedos. Não me lembro de um, sequer. E, no entanto, não consegui encontrar nenhuma memória infeliz. Eu era um menino livre pelos campos, em meio a vacas, cavalos, pássaros e riachos.

Melhoramos de vida. Mudamos de cidade. A casa me pareceu um palácio. A privada, acho que alguém tinha jogado um tijolo dentro dela: havia um enorme buraco na louça. Hoje a gente logo compraria uma nova. Para isso meu pai não tinha dinheiro. Teve de encontrar uma solução inteligente, compatível com a pobreza: colou um pires velho com cimento sobre o buraco. Por cinco anos foi essa a nossa privada, cuja tampa foi feita de ripas. Era, portanto, quadrada, em conflito com a nossa anatomia básica arredondada. A tampa de ripas deixava sempre suas marcas em nosso traseiro. Quando chovia, era preciso usar todas as panelas, bacias e jarras para aparar a água que caía pelas goteiras – tantas que não era possível consertar. O porão era morada de escorpiões enormes e venenosos. Minha mãe foi picada por um deles. Quando as formigas se punham a marchar, os escorpiões se punham a correr: saíam do porão e invadiam a casa. Houve um dia em que matamos 11. E jamais ouvi qualquer queixa de qualquer um de nós. Aquela era a nossa casa. Muitas felicidades moravam dentro dela. Já podíamos nos dar ao luxo de uma mesa de verdade, com quatro pés sólidos. Na cidade onde havíamos morado antes, a mesa era uma porta pregada sobre um caixão: uma gangorra perigosa. Se alguém se apoiasse numa das extremidades corria o risco de receber uma terrina de feijão na testa. Aprendemos boas maneiras: ninguém apoiava o cotovelo sobre a mesa.

Eu não sabia que éramos pobres. No meio daquela pobreza, éramos ricos. Meu pai comprou um automóvel, um Plymouth a manivela. E comprou também um rádio, motivo de grande orgulho e felicidade: podíamos ouvir novelas e música: Vicente Celestino, Orlando Silva, Jararaca e Ratinho.

Brinquedos comprados, acho que tive cinco: uma bola, um caminhãozinho de madeira, um barquinho a vela, um pião, um saco de bolinhas de gude. Os brinquedos, a gente fazia: pipas, carrinhos, estilingues. Fazer era brincar. Eu continuava a ser um menino livre e feliz.

Aí meu pai melhorou de vida de novo. Mudamo-nos para o Rio de Janeiro. Foi então que fiquei sabendo o que era infelicidade. Meu pai, na melhor das boas intenções, me matriculou no Colégio Andrews, onde estudavam os filhos dos embaixadores estrangeiros, os filhos dos médicos mais famosos, as meninas mais bonitas e mais bem-tratadas da cidade. Foi inevitável: tive de me comparar com eles. A comparação é uma operação lógica indolor: B é menor que A. Mas quando a comparação que se faz é entre pessoas, o B, parte menor, que tanto pode ser Maria quanto João, sente uma dor profunda. Essa dor tem o nome de inveja. Comparei-me e descobri-me pobre. Nada me foi tirado. Continuei a ter as coisas que me haviam feito feliz. Só que, depois da comparação, elas ficaram feias, estragadas, motivo de tristeza e vergonha. A inveja sempre faz isto: ela destrói a coisa boa que temos. Senti-me pobre, feio, ridículo, humilhado. Jamais convidei qualquer colega para que viesse à minha casa. Não queria que eles vissem a minha pobreza. Albert Camus relata experiência parecida. Disse que sua infelicidade começou quando entrou para o Liceu. Foi então que ele se comparou aos outros.

Dizem que o pecado original foi o sexo. Digo que o pecado original foi a inveja. Foi a inveja que fez Adão e Eva perderem o Paraíso. Paraíso, lugar de delícias: ali havia tudo para que qualquer ser humano fosse feliz. Aí veio a serpente, especialista em inveja. Riu-se da felicidade deles. "Vocês pensam que são felizes... É que vocês ainda não viram o mundo dos deuses: tão mais bonito! Vocês querem ver? É fácil. É só comer este fruto mágico..." E a malvada lhes deu para comer o fruto da inveja. Não lhes mentiu. Eles viram realmente um mundo muito mais bonito – e nesse momento os frutos das árvores do Paraíso apodreceram, as folhas das árvores caíram, as plantas murcharam, as fontes secaram, e eles se sentiram feios: começaram a se esconder um do outro.

Isso não aconteceu nunca. Isso acontece todo dia.

A minha casa é linda; eu a amo. Mas basta que eu visite uma outra, mais rica que ela, e a inveja surja. Volto e vejo minha casa feia, pequena, estragada: já não é possível amá-la. Quero uma outra. Isso está contado numa antiga estória, "O pescador e a sua mulher" – cuja leitura eu aconselho. Ouvi-a uma vez, e nunca me esqueci.

Isso que é verdade para a casa é verdade também para a esposa, o marido, o trabalho, os filhos: a inveja os faz entrar em decomposição. Já não é possível amá-los como antes.

A inveja não mata. Ela só faz destruir a felicidade. O invejoso é incapaz de olhar com alegria para as coisas boas que ele possui. Os seus olhos são maus. Basta que uma coisa boa que se possui seja por eles tocada, para que ela apodreça.

Para essa doença só há dois remédios: um doce e um amargo.

O remédio doce: usar o colírio da gratidão para curar o olho mau. Olhar para as coisas boas que se tem e dizer: "Que bom que vocês estão aí. Sou agradecido aos deuses, por vocês me terem sido dadas". Aí a casa, o marido, a mulher, os filhos e tudo o mais que se possui ganham de novo a sua vida e a sua beleza.

Aos que não fazem uso do remédio doce, mais cedo ou mais tarde lhes será aplicado o remédio amargo: quando a desgraça bate à porta e se parte a taça de cristal, e se rompe o fio de prata, e o que era reto fica torto, e o que estava vivo de repente morre. Quando a dor é muita as lágrimas não deixam os olhos ver o que os outros têm. E a inveja, assim, morre. Mas então já é tarde demais.

TENHO MEDO

Um casal de amigos enviou-me um fax com um pedido: que lhes mandasse os nomes dos livros que tenho sobre o medo. Explicaram a razão do pedido: tinham medo... E pensavam que, pela leitura daquilo que sobre o medo se escreveu como ciência e filosofia, seu próprio medo ficaria mais leve.

Procurei fazer o que me pediam. Pus a funcionar os arquivos da minha memória, procurando identificar os livros sobre o medo que estariam na minha biblioteca. Inutilmente. Nenhum título me veio à mente. Dei-me conta de que não possuo nenhum livro sobre o medo. Sem livros a que recorrer, pus-me a pensar meus próprios pensamentos sobre o medo. E o primeiro pensamento que me veio foi o seguinte: Eu tenho medo. Eu sempre tive medo. Viver é lutar diariamente com o medo. Talvez esse seja o sentido da lenda de São Jorge, lutando com o dragão. O dragão não morre nunca. E a batalha se repete, a cada dia.

Como não pudesse ajudar meus amigos com bibliografia filosófica e científica, resolvi compartilhar com eles minha condição. O medo tem muitas faces. Lembro-me de que, bem pequeno ainda, acordei chorando, imaginando que um dia eu estaria sozinho no mundo. Foi uma dura experiência de abandono. Tive medo de não ser capaz de ganhar a minha vida quando meu pai e minha mãe partissem. Na verdade eu tinha era medo da orfandade, do abandono. Minha filha Raquel tinha não mais que três anos. Era cedo, bem cedo. Ela me acordou e me perguntou: "Papai, quando você morrer você vai sentir saudades?". Essa foi a forma delicada que ela teve de me dizer que tinha medo da saudade que ela iria sentir, quando eu partisse. O rosto do medo mudou. Mas o sentimento continua o mesmo. Tenho medo da solidão. Há uma solidão boa. É a solidão necessária para ouvir música, ler, pensar, escrever. Mas há a solidão do abandono. Buber relata que, numa língua africana, a palavra para dizer "solidão" é composta de uma série de palavras aglutinadas que, se traduzidas uma a uma, dariam a frase: "Lá, onde alguém grita: Oh! Mãe! Estou perdido!". O trágico dessa palavra é que o grito nunca será ouvido, nunca terá resposta. Tenho medo da degeneração estética da velhice. Tenho medo de que um derrame me paralise, deixando-me sem meios de efetivar a decisão que seria sábia e amorosa: partir. Tenho medo da morte. Antigamente esse medo me atormentava diariamente. Depois ele se tornou gentil. Ficou suave. Passei a compreender que a morte pode ser uma amiga. Veio-me à mente um trecho da oração "Pelos que vão morrer", de Walter Rauschenbusch:

> Ó Deus, nós te louvamos porque para nós a morte não é mais uma inimiga, e sim um grande anjo teu, nosso amigo, o único a poder abrir, para alguns de nós, a prisão da dor e do sofrimento e nos levar para os espaços imensos de uma nova vida. Mas nós somos como crianças, com medo do escuro... (*Orações por um mundo melhor*, Paulus)

O Vinicius disse a mesma coisa de um outro jeito: "Resta esse diálogo cotidiano com a morte, esse fascínio pelo momento a vir, quando, emocionada, ela virá me abrir a porta como uma velha amante, sem saber que é a minha mais nova namorada". Boas são as palavras das orações e dos poemas: elas têm o poder de transfigurar a face do medo. Meu medo da morte ficou suave porque seu terror foi amenizado pela tristeza. Ah! Mario Quintana! Como eu gosto de você, velho que nunca deixou de ser menino! Você sabia tirar o terror do medo rindo diante dele. Você lidava com seus medos como se fossem brinquedos. Delicioso, esse brinquedinho: "Um dia... pronto!... me acabo./ Pois seja o que tem de ser./ Morrer: que me importa? O diabo é deixar de viver!". Isso mesmo. O terrível não é morrer; é deixar de viver. O terrível não é o que está à frente; é o que deixamos para trás. É um desaforo ter de deixar essa vida! Zorba, quando percebeu que seu momento chegara, foi até a janela, olhou para as montanhas no horizonte, pôs-se a relinchar como um cavalo e gritou: "Um homem como eu teria de viver mil anos!". E eu pergunto: "Por que tanta modéstia? Por que só mil?".

Mas tenho medo do morrer. Medo da morte e medo do morrer são coisas distintas. O morrer pode ser doloroso, longo, humilhante. Especialmente quando os médicos não permitem que o corpo que deseja morrer morra.

Tenho medo também da loucura. Não há sinal algum de que eu vá ficar louco. Mas nunca se sabe! Muitas mentes luminosas ficaram insanas. E tenho medo de que algo ruim venha a acontecer com meus filhos e minhas netas. Sábias foram as palavras daquele homem que, no livro onde deveriam ser escritos os bons desejos à recém-nascida neta do rei, escreveu: "Morre o avô, morre o pai, morre o filho...". Enfurecido, o rei lhe pede explicações. "Majestade: haverá tristeza maior para um avô que ver seu filho morrer? E para seu filho? Haveria tristeza maior que ver sua filhinha morrer? É preciso que a morte aconteça na ordem certa..." Tenho medo de que a morte não aconteça na ordem certa.

Somos iguais aos animais: as mesmas coisas terríveis podem acontecer a eles e a nós. Mas somos diferentes deles porque eles só sofrem como se deve sofrer, isto é, quando o terrível acontece. E nós, tolos, sofremos sem que ele tenha acontecido. Sofremos imaginando o terrível. O medo é a presença do terrível não acontecido apossando-se das nossas vidas. Ele pode acontecer? Pode. Mas ainda não aconteceu, nem se sabe se acontecerá.

Curioso: nós, humanos, somos os únicos animais a ter prazer no medo. A colina suave não seduz o alpinista. Ele quer o perigo dos abismos, o calafrio das neves, a sensação de solidão. A terra firme, tão segura, tão sem medo, tão monótona! Mas é o mar sem fim que nos chama: "A solidez da terra, monótona, parece-nos fraca ilusão. Queremos a ilusão do grande mar, multiplicada em suas malhas de perigo..." (Cecília Meireles).

A pomba que, por medo do gavião, se recusasse a sair do ninho já se teria perdido no próprio ato de fugir do gavião. Porque o medo lhe teria roubado aquilo que de mais precioso existe num pássaro: o voo. Quem, por medo do terrível, prefere o caminho prudente de fugir do risco já nesse ato estará morto. Porque o medo lhe terá roubado aquilo que de mais precioso existe na vida humana: a capacidade de se arriscar para viver o que se ama.

O medo não é uma perturbação psicológica. Ele é parte da nossa própria alma. O que é decisivo é se o medo nos faz rastejar ou se ele nos faz voar. Quem, por causa do medo, se encolhe e rasteja vive a morte na própria vida. Quem, a despeito do medo, toma o risco e voa triunfa sobre a morte. Morrerá quando a morte vier. Mas só quando ela vier. Esse é o sentido das palavras de Jesus: "Aquele que quiser salvar sua vida perdê-la-á. Mas quem perder sua vida encontrá-la-á". Viver a vida, aceitando o risco da morte: isso tem o nome de coragem. Coragem não é ausência do medo. É viver, a despeito do medo.

Houve um tempo em que eu invocava os deuses para me proteger do medo. Eu repetia os poemas sagrados para exorcizar o medo: "Ainda que eu ande pelo vale da sombra da morte, não temerei mal algum..."; "Mil cairão à tua direita, dez mil à tua esquerda, mas nenhum mal te sucederá...". A vida me ensinou que esses consolos não são verdadeiros. Os deuses não nos protegem do medo. Eles nos convidam à coragem de viver a despeito dele.

QUEM SOU?

Quem sou eu?

Sei que eu sou muitos. Quem me ensinou isso foi um Demônio velho, o mesmo que ensinou psicologia a Jesus. Quando Jesus lhe perguntou "Qual é o teu nome?", ele respondeu, numa mistura de verdade e gozação: "Meu nome é Legião porque somos muitos". Coisa maluca: o "eu", singular na gramática, é plural na psicologia.

Eu sou muitos. Tem-se a impressão de que se trata da mesma pessoa porque o corpo é o mesmo. De fato o corpo é um. Mas os "eus" que moram nele são muitos.

Sabemos que são muitos por causa da música que cada um toca. A letra não importa. Pode até ser que a letra seja a mesma. O que faz a diferença é a música. Cada "eu" toca uma música diferente, com instrumento diferente: oboé, violino, tímpano, prato, trombone. Juntos poderiam formar uma orquestra. Não formam. Cada "eu" toca o que lhe dá na telha. Como no filme *Ensaio de orquestra*. Esqueci-me do nome do diretor: terá sido o Fellini? Merece ser visto.

Por vezes os "eus" se odeiam. Muitos suicídios poderiam ser explicados como assassinatos: um "eu" não gosta da música do outro e o mata. Foi o caso de um meu primo. Quando tínhamos sete anos de idade e brincávamos de soldadinhos de chumbo, ele já estava fazendo um dicionário comparativo de quatro línguas: português, inglês, francês e alemão. Quando tirava 98 na prova, ele batia com a mão na testa e dizia, arrasado: "Fracassei". O "eu" que batia na testa era o "eu" que não suportava não ser perfeito. O "eu" que levava o tapa na testa era o "eu" que não havia conseguido tirar 100 na prova. Um dia o primeiro "eu" se cansou de dar tapas na testa do segundo "eu". Adotou medida definitiva. Obrigou-o a lançar-se pela janela do 17º andar.

O português correto diz: "Eu sou". Sujeito singular; verbo no singular. Mas quem aprendeu de Sócrates, quem se conhece a si mesmo, sabe que a alma não coincide com a gramática. A alma diz: "Eu somos". E diz bem. Pergunto-me: "Qual dos muitos 'eus' eu sou?".

Albert Camus declara, no seu livro *O homem em revolta*, que o homem é o único ser que se recusa a ser o que ele é. Essa afirmação encontra uma ilustração perfeita num incidente banal, descrito por Barthes no seu livro *A câmara clara*.

A partir do momento em que me sinto olhado pela objetiva da câmara fotográfica, tudo muda: ponho-me a "posar", fabrico-me instantaneamente um outro corpo, metamorfoseando-me antecipadamente em imagem.

Olho para a foto. Sofro. O fotógrafo me pegou distraído. Não saí bem. Não me reconheço naquela imagem. Sou muito mais bonito. Sofro mais ainda quando os amigos confirmam: "Como você saiu bem!". O que eles disseram é que sou daquele jeito mesmo. Não posso reclamar do fotógrafo. Reclamo do meu próprio corpo. Recuso-me a ser daquele jeito. É preciso ficar atento. Que não me fotografem desprevenido. Se me perceber sendo fotografado, farei pose. A pose é o sutil movimento que faço com o corpo no intuito de fazê-lo coincidir com a escorregadia imagem que amo e que me escapa. A imagem que amo está fora do corpo. Recuso-me a ser minha imagem desprevenida. É preciso o movimento da pose para coincidir com ela. Quero ser uma imagem bela.

O mito de Narciso conta a verdade sobre os homens. Narciso aceitou morrer para não se separar da bela imagem sua. Aquele que, como Narciso, vive a coincidência da imagem real com a imagem amada não precisa fazer pose. Está pronto para morrer. A morte eterniza a imagem.

Dizem os religiosos que a existência humana se justifica moralmente. Deus deseja que sejamos bons. Discordo. A existência humana se justifica esteticamente. Somos destinados à beleza. Deus, Criador, buscou em primeiro lugar a beleza. O Paraíso é a consumação da beleza. Deus olhava para o jardim e se alegrava: era belo! No Paraíso não havia ética ou moral. Só havia estética. Os santos que a Igreja canonizou por causa da sua bondade eram movidos pelo desejo de que, por sua bondade, Deus os achasse belos. A beleza gera a bondade. Quando nos sentimos feios somos possuídos pela inveja e por desejos de vingança. Invejosos e vingadores são pessoas que sofrem por se sentirem feias.

Beleza não é coisa física. Não pode ser fotografada. É a música que sai do corpo. Nisso somos iguais aos poemas. Um poema, segundo Fernando Pessoa, são palavras por cujos interstícios se ouve uma melodia tão bela que faz chorar. A beleza do poema não se encontra naquilo que ele é, mas, precisamente, naquilo que ele não é: o não dito onde a música nasce.

De todos os "eus", qual deles eu sou? Eu sou o rosto belo. É esse que eu amo – precisamente o que escorrega e tento capturá-lo na pose! Porque esse é o "eu" que eu amo, esse é o "eu" que o meu amor elege como meu verdadeiro "eu". Os outros "eus" são intrusos, demônios que me habitam e que também dizem "eu". E ainda há quem duvide da existência dos demônios! Como duvidar? Se eles moram em mim, se apossam do meu corpo e me fazem feio – mau! Se, nos momentos em que se apossam do meu rosto, eu visse minha imagem refletida num espelho, talvez morresse de horror ou quebrasse o espelho.

Bom seria que eu não mais me lembrasse desse outro que sou e do seu rosto deformado. Mas a memória não deixa. Ela coloca diante de mim o outro rosto que não quero ser. Como na novela *O retrato de Dorian Gray*. Ao fazer isso a memória destrói a magia da "pose": ela não permite que eu me engane. Alberto Caeiro sabia da crueldade da memória: quando me lembro de como uma coisa foi, meus olhos não conseguem vê-la como ela é, agora:

> *A recordação é uma traição à Natureza.*
> *Porque a Natureza de ontem não é Natureza.*
> *O que foi não é nada, e lembrar é não ver.*

A cada dia somos novos. Mas a memória do que fui ontem estraga a novidade do ser. Ah! Que bom seria se fôssemos como os pássaros:

> *Antes o voo da ave, que passa e não deixa rasto,*
> *Que a passagem do animal, que fica lembrada no chão.*
> *A ave passa e esquece, e assim deve ser.*
> *O animal, onde já não está e por isso de nada serve.*
> *Mostra que já esteve, o que não serve para nada.*

Pelo rasto se reconhece o animal. A memória é o rasto que deixamos no chão.

Brigas de casais são exercícios de memória. Dizem que estão brigando por isso ou por aquilo. Mentira. Brigam sempre pelos rastos. Invocam os rastos, aquilo que fui ontem para destruir o belo rosto que amo. Não adianta que hoje eu seja uma ave. "Você me diz que é uma ave? Mas esses rastos me dizem que ontem você foi um macaco... Sua pose não me engana..."

Perdoar é esquecer. Deus é esquecimento. Quando ele perdoa, os rastos desaparecem. Perdoar é apagar da memória o rasto/rosto deformado de ontem.

Aprecio a tua presença só com os olhos.
Vale mais a pena ver uma coisa sempre pela primeira vez que conhecê-la,
Porque conhecer é como nunca ter visto pela primeira vez,
E nunca ter visto pela primeira vez é só ter ouvido contar.

"Te conheço...", diz um para o outro. "Minha memória diz quem tu és. Te conheço – nunca te verei pela primeira vez. Teu rosto, eu o conheço como a soma dos teus rastos..." Aqui termina uma estória de amor, porque o amor só sobrevive onde há o perdão do esquecimento.

Somos Narciso. Estamos à procura de olhos nos quais nossa imagem bela apareça refletida. Queremos ser belos. Se formos belos, seremos bons.

FALA

Kierkegaard, filósofo dinamarquês, o primeiro que li, observou que toda fala contém duas coisas. Primeiro: aquilo que se diz, a mensagem que devo comunicar. Segundo, uma música, um jeito de falar, velocidade, pausas, modulações. Segundo ele, é na música da fala que nós moramos, é ali que se encontra a nossa alma. Uma mesma mensagem pode ser dita ao som dos tambores ou pode ser dita ao som do oboé. Lendo Kierkegaard, aprendi isso intelectualmente. Na minha prática de psicanalista, aprendi isso existencialmente. Eu tinha uma paciente que falava num dia em tom maior, no outro dia em tom menor. Só de ouvir a música da sua fala, sem prestar atenção naquilo que ela estava dizendo, eu sabia como estava a sua alma. (É importante que um terapeuta não preste muita atenção naquilo que o seu cliente diz, a fim de ouvir o que ele não diz...) Moramos na música das palavras. Somos amados não pelo que dizemos, mas pela música com que o dizemos. Preste atenção na sua música. Se a sua música não tiver pausas mansas, isso é sinal de que você é um chato que não deixa o outro falar, nem ouve o que ele tem para dizer. Deveria haver uma terapia que ajudasse as pessoas a mudar a música de sua fala. Se conseguir mudar a música da sua fala, você ficará diferente. Isso é especialmente importante para os professores, para os pais, para os amantes...

DEUS EXISTE?

De vez em quando alguém me pergunta se eu acredito em Deus. E eu fico mudo, sem dar resposta, porque qualquer resposta que desse seria mal-entendida. O problema está nesse verbo simples, cujo sentido todo mundo pensa entender: acreditar. Mesmo sem estar vendo, eu acredito que existe uma montanha chamada Himalaia, e acredito na estrela Alfa Centauro, e acredito que dentro do armário há uma réstia de cebolas... Se eu respondesse à pergunta dizendo que acredito em Deus, eu o estaria colocando no mesmo rol em que estão a montanha, a estrela, a cebola, uma coisa entre outras, não importando que seja a maior de todas.

Era assim que Casimiro de Abreu acreditava em Deus, e todo mundo decorou e recitou o seu poema teológico:

Eu me lembro! eu me lembro! – Era pequeno
E brincava na praia; o mar bramia
E, erguendo o dorso altivo, sacudia
A branca escuma para o céu sereno.

E eu disse à minha mãe nesse momento:
"Que dura orquestra! Que furor insano!

Que pode haver maior do que o oceano,
Ou que seja mais forte do que o vento?!"

Minha mãe a sorrir olhou pros céus
E respondeu: – Um Ser que nós não vemos
É maior do que o mar que nós tememos,
Mais forte que o tufão! meu filho, é Deus!

Ritmos e rimas são perigosos porque, com frequência, nos levam a misturar razões ruins com música ruim. Deixados de lado o ritmo e as rimas, o argumento do poeta se reduz a isto: Deus é uma "coisona" que sopra qual ventania enorme, e um marzão que dá muito mais medo que esse mar que está aí. Ora, admito até que "coisona" tal possa existir. Mas não há argumento que me faça amá-la. Pelo contrário, o que realmente desejo é vê-la bem longe de mim. Quem é que gostaria de viver no meio da ventania navegando num mar terrível? Eu não... É preciso, de uma vez por todas, compreender que "acreditar em Deus" não vale um tostão furado. Não, não fiquem bravos comigo. Fiquem bravos com o apóstolo Tiago, que deixou escrito em sua epístola sagrada: "Tu acreditas que há um Deus. Fazes muito bem. Os demônios também acreditam. E estremecem ao ouvir o Seu nome..." (Tiago 2,19). Em resumo, o apóstolo está dizendo que os demônios estão melhor do que nós, porque, além de acreditarem, estremecem... Você estremece ao ouvir o nome de Deus? Duvido. Se estremecesse, não o repetiria tanto, por medo de contrair malária...

Enquanto escrevo, estou ouvindo a sonata *Appassionata*, de Beethoven, a mesma que Lenin poderia ouvir o dia inteiro, sem se cansar, e o seu efeito era tal que ele tinha medo de ser magicamente transformado em alegria e amor, sentimentos incompatíveis com as necessidades revolucionárias (o que explica as razões por que ativistas políticos geralmente não se dão bem com música clássica). Se eu pudesse conversar com o meu cachorro e lhe perguntasse: "Você acredita na *Appassionata?*" ele me responderia: "Pois é claro. Acha que eu sou surdo? Estou ouvindo. E, por sinal, esse barulho está perturbando o meu sono".

Mas eu, ao contrário do meu cachorro, tive vontade de chorar por causa da beleza. A beleza tomou conta do meu corpo, que ficou arrepiado: a beleza se fez carne.

Mas eu sei que a sonata tem uma existência efêmera. Dentro de poucos minutos só haverá o silêncio. Ela viverá em mim como memória. Assim é a forma de existência dos objetos de amor: não como a montanha, a estrela, a cebola, mas como saudade. E eu, então, pensarei que é preciso tomar providências para que a sonata ressuscite de sua morte... Leio e releio os poemas de Cecília Meireles. Por que releio, se já os li? Por que releio, se sei, de cor, as palavras que vou ler? Porque a alma não se cansa da beleza. Beleza é aquilo que faz o corpo tremer. Há cenas que ela descreve que, eu sei, existirão eternamente. Ou, inversamente, porque existiam eternamente, ela as descreveu.

> *O crepúsculo é este sossego do céu*
> *com suas nuvens paralelas*
> *e uma última cor penetrando nas árvores*
> *até os pássaros.*
> *É esta curva dos pombos, rente aos telhados,*
> *este cantar de galos e rolas, muito longe;*
> *e, mais longe, o abrolhar de estrelas brancas,*
> *ainda sem luz.*

Que existência frágil tem um poema, mais frágil que a montanha, a estrela, a cebola. Poemas são meras palavras, que dependem de que alguém as escreva, leia, recite. No entanto, as palavras fazem com o meu corpo aquilo que o universo inteiro não pode fazer.

Fui jantar com um rico empresário, que acredita em Deus, mas me disse não compreender as razões por que puseram o retrato da

Cecília Meireles, uma mulher velha e feia, numa cédula do nosso dinheiro. Melhor teria sido o retrato da Xuxa. Do ponto de vista da existência, ele estava certo. A Xuxa tem mais realidade que a Cecília. Ela tem uma densidade imagética e monetária que a Cecília não tem e nunca quis ter. A Cecília é um ser etéreo, semelhante às nuvens do crepúsculo, à espuma do mar, ao voo dos pássaros. E, no entanto, eu sei que os seus poemas viverão eternamente. Porque são belos. A Beleza é entidade volátil – toca a pele e rápido se vai.

Pois isso a que nos referimos pelo nome de Deus é assim mesmo: um grande, enorme Vazio, que contém toda a Beleza do universo. Se o vaso não fosse vazio, nele não se plantariam as flores. Se o copo não fosse vazio, com ele não se beberia água. Se a boca não fosse vazia, com ela não se comeria o fruto. Se o útero não fosse vazio, nele não cresceria a vida. Se o céu não fosse vazio, nele não voariam os pássaros, nem as nuvens, nem as pipas...

E assim, me atrevendo a usar a ontologia do Riobaldo, eu posso dizer que Deus tem de existir. Tem Beleza demais no universo, e Beleza não pode ser perdida. E Deus é esse Vazio sem fim, gamela infinita, que pelo universo vai colhendo e ajuntando toda a Beleza que há, garantindo que nada se perderá, dizendo que tudo o que se amou e se perdeu haverá de voltar, se repetirá de novo. Deus existe para tranquilizar a saudade.

Posso então responder à pergunta que me fizeram. É claro que acredito em Deus, do jeito como acredito nas cores do crepúsculo, do jeito como acredito no perfume da murta, do jeito como acredito na beleza da sonata, do jeito como acredito na alegria da criança que brinca, do jeito como acredito na beleza do olhar que me contempla em silêncio. Tudo tão frágil, tão inexistente, mas me faz chorar. E se me faz chorar, é sagrado. É um pedaço de Deus... Dizia o poeta Valéry: "Que seria de nós sem o socorro daquilo que não existe?".

A MAQUINETA DE ROUBAR PITANGAS

Acho que eu teria dado um bom engenheiro. De que eu me lembre, as primeiras manifestações da minha inteligência foram na área da engenharia. A primeira delas, eu devia ter uns quatro anos, foi uma tentativa frustrada de fazer levitar um grave. Encantado com quatro pinos roliços de madeira que se encontravam na cristaleira, retirei-os dos buracos onde se encontravam, sem notar que eles eram o suporte de uma prateleira de vidro cheia de taças. Para minha decepção e contrariando minhas expectativas, a prateleira não flutuou, o que provocou um armagedom de vidros. O acontecido, entretanto, não me desencorajou, e se os acidentes da vida não tivessem me empurrado por caminhos não planejados, é certo que hoje eu seria um engenheiro.

Engenharia é coisa bonita. A começar pela palavra que vem do latim, *ingenium*, que quer dizer "a agudeza, a viveza, o entendimento, o espírito, engenhosidade, coisa inventada com engenho". Os engenheiros, assim, são pessoas que se dedicam a fabricar artefatos inteligentes.

As raízes do impulso para a engenharia são facilmente compreensíveis. O *corpo* deseja algo. Mas ele mesmo não tem os recursos físicos para conseguir aquilo que deseja. O seu *desejo* só será satisfeito se a *inteligência* for capaz de construir uma *ferramenta* que lhe permita atingir o seu objeto. Rapunzel operou com inteligência engenharial quando deixou crescer os seus cabelos. Não deixou que eles crescessem por razões de vaidade. Não lhe importava que fossem sedosos, macios e brilhantes. Seus cabelos tinham que ser uma corda forte o bastante para que o seu amado pudesse por eles subir. Os cabelos da Rapunzel eram um "artefato inteligente" – um *meio* para a realização do *desejo*. Essa estória, do ponto de vista psicanalítico, se presta a uma interpretação deliciosa: os cabelos crescem na cabeça; as ideias crescem também na cabeça. Cabelos: metáforas de ideias...

A capacidade de construir "artefatos inteligentes" não é monopólio dos seres humanos. As colmeias das abelhas, os ninhos dos guaxes, dos beija-flores, do joão-de-barro, as teias das aranhas, as conchas dos caracóis – são todos assombros engenhariais.

Dos homens dotados com inteligência engenharial, o que mais me assombra é Leonardo da Vinci, que, além de ser músico e pintor, era também arquiteto, fez projetos urbanísticos – Brasília não seria o horror que é se ele tivesse sido o arquiteto – e fez planos de uma máquina voadora que permitisse aos homens voar como pássaros, realizando assim o sonho imortal de Ícaro – ser pássaro é ser livre! –, e uma outra para navegar nos fundos dos mares, permitindo aos homens navegar entre os peixes. Leonardo da Vinci foi uma prova viva de que a beleza e a inteligência engenharial podem andar de mãos dadas. O engenheiro pode amar a arte.

Defino o engenheiro: é uma pessoa que se dedica a construir "pontes" entre o corpo e o desejo. Pontes são construídas sobre abismos. Pelas pontes os encontros são possíveis. Encontros entre o *corpo* e o seu *desejo*. Quando o *desejo* é realizado, o *corpo* fica feliz.

Quero, agora, relatar a minha primeira experiência na construção de um "artefato inteligente". Foi, realmente, uma invenção, porque tal artefato, na medida do meu conhecimento, jamais havia sido construído.

Eu tinha seis anos de idade. Ao lado da minha casa pequena, uma casa com um quintal enorme, cheio de árvores frutíferas. Entre elas, perto do muro, uma árvore que eu nunca havia visto, carregadinha com umas frutinhas vermelhas, miniaturas delicadas e brilhantes de moranga: pitanga. O nome já diz do fascínio: pi x tanga: o erótico multiplicado por 3,1416. Ela, a sem-vergonha vermelha, tinha de ser deliciosa. Imaginei o prazer que eu teria comendo aquela frutinha. O prazer imaginado não dá descanso. Já o prazer realizado cansa logo. Quantos pedaços de picanha, quantos copos de chope, quantos beijos a gente aguenta? Prazer realizado tem vida curta: morre logo (podendo ressuscitar depois de três dias). Mas o prazer não realizado é um tormento. Disse o poeta inglês William Blake que "o prazer engravida". Isso mesmo: gravidez. Não tem jeito de parar.

Mas as pitangas estavam longe do meu braço. Foi então que, do lugar do *desejo*, partiu uma ordem para a *inteligência*. Na verdade, está errado falar em *inteligência* no singular. Nosso corpo é uma casa onde, em cada quarto, jaz adormecida, encantada, uma *inteligência* diferente: a lógica, a culinária, a esportiva, a musical, a humorística, a religiosa, a lúdica, a mecânica, a criminosa, a pedagógica, a médica – e uma infinidade de outras. Cada uma serve para uma operação específica. Adormecidas. Só acordarão quando forem tocadas por um beijo de amor. Aquela estória do Aladim e a lâmpada maravilhosa: o gênio da garrafa é a inteligência. O gênio não tem ideias próprias: ele só obedece às ordens do seu dono. Assim são as inteligências: elas obedecem àquilo que o desejo determina.

E foi assim que aconteceu comigo: meu desejo de comer pitangas deu um beijo numa inteligência – a criminosa –, que foi logo me dizendo: "Se você quer comer pitangas, pule o muro e roube as pitangas". Nesse momento outra inteligência acordou, a da prudência, que me disse: "De jeito algum. E se o homem sair no quintal e lhe der uns tapas?". Trancafiei a inteligência criminosa no seu lugar. Foi então que o *desejo* deu um beijo na *inteligência engenharial*. Ela acordou e disse: "Faça uma maquineta de roubar pitangas. Vou lhe ensinar como". E pôs-se a me dizer o que eu deveria fazer. Eu teria de trabalhar. A inteligência sozinha não faz nada. Ela só pensa. Precisa do corpo para transformar o pensamento em realidade. Completando o aforismo de Blake: "O prazer engravida; o sofrimento faz parir". Um professor que sabe esse aforismo sabe os essenciais da psicologia da criatividade. Eu teria que, primeiro, encompridar o meu braço. Procurei e achei um longo bambu. Depois, eu teria de acoplar uma mão mecânica na ponta do braço de bambu. Uma latinha de massa de tomate com um dente na borda fez as vezes de mão. Amarrei a latinha na ponta do bambu: eis pronta minha maquineta de roubar pitangas, que não cheguei a patentear. Roubei e comi quantas pitangas quis.

As inteligências dormem. Inúteis são todas as tentativas de acordá-las por meio da força e das ameaças. As inteligências só entendem os argumentos do desejo: elas são ferramentas e brinquedos do desejo.

A tarefa do professor: mostrar a frutinha. Comê-la diante dos olhos dos alunos. Provocar a fome. Erotizar os olhos. Fazê-los babar de desejo. Acordar a inteligência adormecida. Aí a cabeça fica grávida: engorda com ideias. E quando a cabeça engravida não há nada que segure o corpo.

❋

E O CENTRO, ONDE FICA?

"E o centro, onde fica?" Pode ser que você não saiba, mas essa pergunta de aparência inocente provocou uma enorme revolução em nosso mundo: destronou reis, virou o universo pelo avesso, mandou muita gente para a fogueira, sendo que, segundo alguns, o último a ser queimado foi o próprio Deus, por não concordar com os resultados das medições. Os culpados do sucedido foram os geômetras e os físicos, que vieram com inovações sobre o jeito certo de marcar o centro. Os geômetras sacaram réguas e compassos, traçaram diagonais, bissetrizes e pontos centrais. Os físicos, aliando-se a eles, acrescentaram às réguas e aos compassos outros instrumentos de medição: balanças, fios de prumo e lunetas.

Somados instrumentos, medições e equações, chegou-se à conclusão insólita de que a nossa Terra, que todo mundo sabia ser o centro em torno do qual o universo inteiro girava, não era centro de coisa alguma. Há quatro séculos, quando tais medições foram feitas, restava o consolo de saber que, se bem que a Terra não fosse o centro, ele estava bem perto de nós, no Sol, que se podia ver sempre em dia que não chovia. Mas as medições geométricas e astronômicas não se contentaram, e foram mergulhando cada vez mais fundo, mais longe, nos espaços vazios, até que a Terra virou uma desprezível poeira perdida nos espaços e nas distâncias infinitas das galáxias. Onde está o centro dessa imensidão? Ninguém sabe direito. Quem sabe algum buraco negro...

Meu pensamento brincava com essas ideias quando a minha atenção foi provocada por um bolo de formigas que se aglomeravam num canto de mesa vazia. Sendo um dos meus prazeres conversar com os animais, perguntei a razão daquele comício na periferia da mesa. Ela me olhou espantada e me disse, indignada com a minha burrice:

"Periferia? Logo se vê que o senhor deve ser geômetra ou astrônomo. Já traçou as diagonais e pensa que o centro da mesa está ali!" – e ao dizer isso apontou com uma antena para o lugar que eu julgava ser o centro da mesa. Mas logo continuou: "Para nós, formigas, o centro não é um lugar fixo. Para nós, onde estiver o açúcar, ali está o centro. O centro do universo é o lugar onde o nosso corpo sente prazer. Assim, o lugar que o senhor chama de periferia para nós é o centro, e o lugar que o senhor pensa ser o centro para nós é a periferia!". E com essa tirada filosófica voltou ao prazer do açúcar, voltou para o centro do mundo.

E, de repente, me dei conta de que a formiga estava certa. Há dois jeitos de marcar o centro. Pode-se marcar o centro com a razão matemática, que só conhece números, distâncias e tamanhos, e nada sabe de sentimentos e emoções. Ou se pode marcar o centro com o coração, que vai apalpando, apalpando, até encontrar o lugar dos sentimentos, que é a morada da alegria e da tristeza.

O centro do deserto, para aquele que caminha perdido pelas areias quentes, é um oásis onde há sombra e uma fonte de água fria. Para o pai cujo filho está à morte, o centro do universo é uma cama de hospital. Para quem tem uma cólica renal, o centro é o lugar impreciso da dor. Para a criança que brinca, o centro do mundo é o seu brinquedo. Para o mendigo que tem fome, é um prato de comida. E o centro do corpo, onde será? No umbigo, ou em algum outro lugar?

Hoje saí cedo para uma caminhada. Estava frio, mas não muito. Gostoso aquele frio que faz possível o prazer do agasalho. O Sol ainda não havia nascido, mas a sua luz tingia de rosa e vermelho as nuvens ralas que cobriam o céu. De tempos em tempos, um ipê-rosa, coberto de flores, contra o céu colorido. A surpresa do vermelho berrante da língua do diabo. Os cachos da flor-de-são-joão, caindo do alto de uma árvore como uma cascata laranja.

Pensei então que é certo e justo que se diga que essa nossa Terra é o centro do universo. Pode ser que não o seja para os cálculos de geômetras e astrônomos. Mas, para nós, é certo que o é. E não me venha com o argumento idiota de que a Terra, tão pequena, não pode ser o centro de universo tão grande. Somente os idiotas tomam o peso e o tamanho como critério de valor.

Os mitos bíblicos dizem que o Criador começou nas distâncias infinitas, fazendo as coisas grandes e distantes do universo, as estrelas, o Sol, a Lua. Mas essas coisas grandes e distantes não lhe trouxeram felicidade. E ele afunilou o universo, criando a terra e as águas. Mas nem isso lhe bastou, era grande demais. Ele afunilou um pouco mais e fez um pequeno lugar, um jardim onde havia beleza e prazer, o Paraíso. E foi então que ele sorriu e disse: "É aqui que desejo caminhar...".

Os geômetras e os astrônomos sabem menos que os poetas: o centro do universo é aquele lugar onde a nossa nostalgia pela beleza encontra satisfação. Quem diz o lugar do centro não são os números: é o corpo que ri e chora.

Ande por aí com os olhos abertos: você verá que tenho razão. A Terra é o centro do universo. Não há galáxia que se compare em mistério ao mistério de um ipê florido. Nem estrela gigante que se compare em beleza à beleza de uma teia de aranha. E nem constelação que seja capaz de conter a alegria contida no sorriso de uma criança. Na verdade, a nossa Terra é maior que o universo inteiro.

O pequeno poema de Cecília Meireles resume tudo:

No mistério do Sem-Fim
equilibra-se um planeta.
E, no planeta, um jardim,
e, no jardim, um canteiro:
no canteiro, uma violeta,
e, sobre ela, o dia inteiro,
entre o planeta e o Sem-Fim,
a asa de uma borboleta.

POÇA DE ÁGUA SUJA

De todos os espelhos, a tristeza é o mais fiel. Refletido nela, o rosto humano aparece em toda a sua pureza, como se tivesse sido pintado por Rafael. Vão-se as máscaras, as dissimulações, as linhas que os sentimentos mesquinhos cortam na pele e nos fazem feios. A tristeza faz uma plástica em nosso rosto. Qual o sentido de todas essas rugas e verrugas, se a alma está triste? Tocadas pela tristeza, essas coisas aparecem em toda a sua futilidade – e simplesmente caem, envergonhadas. E é assim que, diante do espelho da tristeza, a nossa beleza surge.

Livrarias são lugares maravilhosos. Já aconselhei bispos, padres e pastores a encorajar seus fiéis a se tornarem frequentadores delas. Pois a missão dos pastores é não somente curar as ovelhas feridas e espantar o lobo mau, mas, como diz o Salmo 23, levar o rebanho por pastos verdes e águas tranquilas. Um bom pastor é um anunciador de felicidades. É preciso que se diga isso porque virou moda que o pastor é alguém que só sabe falar sobre coisas malcheirosas e escabrosas, tais como pecados e injustiças. Esse mundo de Deus está cheio de belezas e é missão dos pastores abrir os olhos de suas burras ovelhas, que só sabem balir o que todas balem. Um pastor tem de ser um artista: sua missão é fazer ver. Quando se vê bem, a alma fica luminosa, o mundo se enche de arcos-íris e as pessoas ficam transparentes. Uma livraria é um lugar onde pode acontecer o milagre de os cegos recuperarem a visão.

Quando era jovem eu ia às livrarias só para comprar livros de palavras. A idade me fez voltar à infância. Recuperei a felicidade infantil de ver figuras. Vou direto para a seção de livros de arte. Na maioria das vezes não vou comprar nada. Vou só para ver. Ver é um sentido maravilhoso: não é preciso ter para ver. Muitos que têm nada veem por serem cegos. Mas mesmo os que não têm dinheiro podem sentir os prazeres de ver.

Cada livro de arte é um universo inteiro, mais maravilhoso que a Via Láctea. Como, via de regra, todo mundo fica agitado quanto ao fim de semana – que é que vou fazer? –, e a resposta mais comum e mais idiota é comer churrasco e beber cerveja (que monotonia sem fim!), sugiro que, só para mudar um pouco, você vá passar uma manhã numa livraria. Ninguém o perturbará. Ninguém o achará.

Se você fizer isso, permita que eu lhe mostre uma das minhas maiores fontes de alegria, riso e espanto: o desenhista Escher. Dentre os seus desenhos – todos eles nos obrigam a pensar – há um que muito amo e que se chama *Poça de água*. Doidão, não? Com tantas coisas bonitas para pintar, flores, frutas, borboletas, passarinhos, o tal Escher escolheu desenhar uma poça de água suja. Um automóvel passou por lá depois da chuva. Deixou as marcas dos pneus: afundamentos onde a água barrenta se acumulou. Escher desenhou uma delas. Só que ele, dotado de olhos para o visível que ninguém vê, desenhou, refletidos na água barrenta, o céu azul e as copas dos pinheiros.

Vejo esse quadro e me lembro de coisas ditas por dois poetas-filósofos. A primeira se encontra no livro de Nietzsche *O nascimento da tragédia*. Comentando a tragédia *Prometeu*, de Ésquilo, ele diz que a beleza suprema daquela obra é "... uma imagem luminosa de nuvens e céu refletida no lago negro da tristeza". Será que Escher tinha lido isso quando resolveu pintar a *Poça de água*? Pois a sua tela é uma metáfora de luz daquilo que o filósofo disse com palavras. Angelus Silesius, místico, disse que temos dois olhos: com um vemos as coisas que no tempo existem e desaparecem. Com o outro, as coisas divinas, eternas, que para sempre permanecem. Os olhos dos artistas são esses olhos que veem o divino-eterno. Assim, não precisava que ele tivesse lido aquilo que o outro havia escrito. É que os olhos dos dois, Nietzsche e Escher, moravam num mesmo mundo. Esses olhos, os deuses dão gratuitamente aos seus anjos, os artistas.

Maravilhosos são os artistas que pintam a beleza. Seus quadros se prestam para decorar apartamentos de hotel. Muito mais maravilhosos são aqueles que pintam a beleza refletida num lago de tristeza: suas telas podem ser colocadas nos templos. *O Cristo crucificado*, de Grünenwald, *Pietá*, de Michelangelo, *Corvos sobre um campo de trigo*, de Van Gogh, *Maria Madalena dialogando com a morte* (nem sei se é esse o nome da tela e nem sei o nome do artista).

A segunda, de Fernando Pessoa: "Deus ao mar o perigo e o abismo deu,/ Mas nele é que espelhou o céu". Não é fantástico? No mar terrível, misterioso, sem fim, que engoliu maridos, noivos, filhos – nesse mar, para quem olha com atenção, o céu aparece refletido. E esse mesmo céu, refletido no mar, reflete-se então pela segunda vez nos olhos de quem o contempla. "Não sabes que o que amam em ti é o brilho de eternidade no teu olhar?" (Nietzsche). Retorno então ao parágrafo com que iniciei esta crônica – e que ficou lá, solto, aparentemente perdido e esquecido. É no espelho da tristeza que a nossa beleza fica visível.

Esses pensamentos me vieram a propósito do fato de que, em toda a minha vida, nenhuma crônica provocou tantos retornos quanto a que escrevi sobre a morte do meu melhor amigo, Elias Abraão. Aquela crônica foi uma poça de água suja, lago negro de tristeza, mar de abismo e perigo. Algumas pessoas choraram pela tristeza ou de uma perda semelhante já sofrida, ou de alguma perda que poderão ter. Outras choraram por descobrir, de repente, que nunca tiveram perda semelhante e por imaginar que é possível que nunca venham a chorar como eu chorei. Choraram pela tristeza de não saber o que é amizade.

Todos choraram. Todos se viram refletidos. Todos se viram mais puros. Todos se viram mais belos.